SER HUMANO É SER JUNTO!

MARIO SERGIO CORTELLA

— SER —
HUMANO
— É SER —
JUNTO!

Por uma vida sem preconceito e com diversidade

🜨 Planeta

Copyright © Mario Sergio Cortella, 2022
Copyright © Editora Planeta do Brasil, 2022
Todos os direitos reservados.

EDIÇÃO PARA O AUTOR: Paulo Jebaili
PREPARAÇÃO: Marina Castro
REVISÃO: Fernanda Guerriero Antunes e Andréa Bruno
PROJETO GRÁFICO E DIAGRAMAÇÃO: Daniel Justi

DADOS INTERNACIONAIS DE CATALOGAÇÃO NA PUBLICAÇÃO (CIP)
ANGÉLICA ILACQUA CRB-8/7057

Cortella, Mario Sergio
   Ser humano é ser junto / Mario Sergio Cortella. - São Paulo:
Planeta do Brasil, 2022.
   144 p.

   ISBN: 978-65-5535-785-1

   1. Relações humanas 2. Mensagens I. Título

22-4490   CDD 158.1

Índice para catálogo sistemático:
1. Relações humanas

MISTO
Papel produzido a partir
de fontes responsáveis
FSC® C011188

Ao escolher este livro, você está apoiando o manejo responsável das florestas do mundo

2022
Todos os direitos desta edição reservados à
Editora Planeta do Brasil Ltda.
Rua Bela Cintra, 986, 4º andar – Consolação
São Paulo – SP – 01415-002
www.planetadelivros.com.br
faleconosco@editoraplaneta.com.br

cHeGANDO...
9

RESPEITO SIM, PRECONCEITO NÃO !!!!!
15

PRECONCEITO: NATURAL, NORMAL OU COMUM?
31

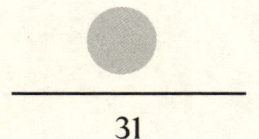

DIVERSIDADE REJEITADA
57

A VISÃO DE CADA PESSOA

85

PEQUENOS DELITOS, GRANDES ESTRAGOS

105

O FUTURO E A DIVERSIDADE

121

PARTINDO...

139

cHEGAN

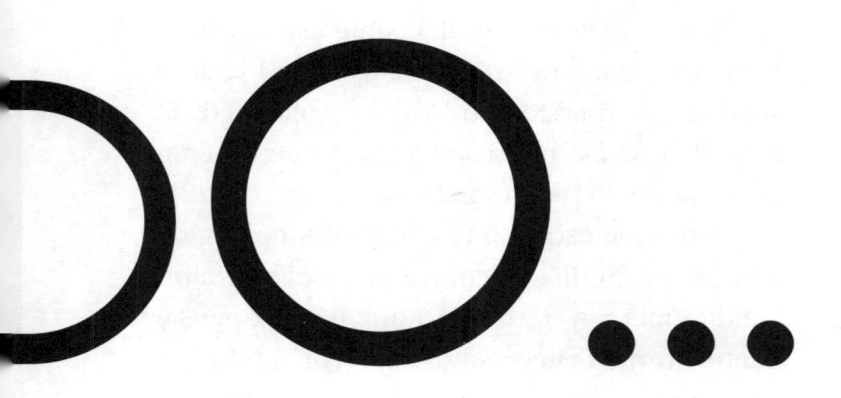

UMA DAS FRASES MAIS CERTEIRAS QUE JÁ OUVI, frequentemente repetida por seu autor, Antônio Abujamra (1932-2015), multiartista brasileiro e fecundo despertador de reflexões, espanta pela veracidade: **"A vida é sua; estrague-a como quiser!"**.

Sinto um espanto forte ao ler essa frase, e é mais forte ainda a necessidade de não a concretizar! Um dos caminhos mais fáceis para "estragar" a própria vida e trazer também danos à vida de outras pessoas é entender-se como o único modo válido de ser humano, superior aos demais, em vez de apenas estar na vida junto dos outros, ser capaz do exercício da empatia, do acolhimento e da solidariedade, de modo que o "junto" gere mais "vida".

É curioso, porque muita gente esquece que a palavra "solidário" não está ligada à ideia de solidão, mas sim à ideia de "sólido"; solidariedade é aquilo que estrutura solidez, é o que faz com que a casa não "venha abaixo".

Nunca me esqueço também de uma grande expressão do filósofo norte-americano Ralph Waldo Emerson (1803-1882) que nos faz pensar muito: **"Torna-te necessário a alguém"**. Essa frase, para mim, desponta mais como convocação do que somente como conselho.

Na perspectiva mais intensa do princípio de "uma pessoa por todas e todas as pessoas por uma", em vez de "cada pessoa por si e Deus por todas", carecemos vivenciar a diversidade como patrimônio fértil, enquanto o preconceito pode ser visto como um dos modos de covardia, resultante de indigência mental!

Ora, o Brasil é um dos países com mais diversidade cultural, natural, geográfica e biológica no mundo. Reúne pessoas de todos os tipos, origens, gêneros, sotaques e religiões. Há, no entanto, quem veja essa pluralidade não como fonte de riqueza, mas como razão para criar barreiras.

Existem aqueles que, em vez de enxergar o outro como diferente, o veem como inferior, seja pela etnia, pela região de onde vem, pela condição social, seja pela orientação sexual. Ainda que se exalte a mistura que forma o diversificado mosaico humano existente no Brasil, no dia a dia vemos manifestações que rechaçam as diferenças.

No lugar de encararmos a pluralidade como um patrimônio, em algumas ocasiões, nos mostramos uma sociedade avessa à diversidade. Observamos o preconceito em várias situações do nosso cotidiano.

A atitude preconceituosa é deletéria para quem dela é alvo e também para quem a pratica. A vítima, obviamente, padece de forma mais aguda e sofrida. O vitimador, por sua vez, tendo agido de maneira consciente ou não, é vitimado pela própria tolice mental, pequenez espiritual ou fragilidade moral.

Por isso, quando aceitei o convite para discorrer sobre diversidade e preconceito, pensei naquilo que um professor precisaria evitar para não tornar a obra banal, rasa ou, pior, uma lista de regras sugerindo que o tema seja fácil de lidar e rápido de solucionar. Para tanto, decidi caminhar no terreno de conceitos, reflexões, casos e práticas sobre o preconceito em geral, sem abrir mão de sugestões, mas tampouco supondo que somente as seguir seria suficiente para resolver a questão.

Se quisermos edificar consciências e práticas efetivas de recusa à violência que o preconceito representa, é necessário empreender nosso melhor esforço. Isso significa usar todos os instrumentos disponíveis (pedagógicos, legais, morais) para prevenir e desestimular qualquer manifestação cuja intenção e cujo resultado sejam segregar, excluir, vitimar ou discriminar qualquer ser humano, em qualquer circunstância, em qualquer lugar, em qualquer tempo.

A existência de uma legislação, por exemplo, que puna manifestações de preconceito, por si só não basta para impedir situações dessa natureza. Contudo, é fundamental que as leis estejam em vigor. A uma legislação se obedece por temor ou convicção, mas coibir o preconceito é um princípio ético que está além do âmbito da legalidade. É uma questão de decência no convívio.

Daí a necessidade de um ensinamento significativo e marcante. "Ensinar" significa deixar uma marca em alguém capaz de levá-la adiante. No caso, cada vez mais, aprendendo a **ser** humano.

A relação interpessoal tem de ser regida pela **decência** como princípio (ponto de partida) e meta (ponto de chegada), no intuito de buscar uma vida coletiva que reconheça a beleza na diversidade, a complementariedade na diferença, a riqueza na pluralidade.

Esse olhar não se constrói somente por meio de conselhos, determinações ou consultas a manuais. Daí que o propósito deste livro é apresentar ideias e concepções que contribuam para semear um futuro decente, de vida plena para todas as pessoas, sem vexames nem hipocrisias, em uma sociedade que acolha as diferenças sem promover desigualdades.

Um ponto interessante para refletirmos sobre ética é pensá-la como a capacidade de proteger a dignidade da vida coletiva.

Afinal de contas, nós vivemos juntos. E, com isso, afirmamos a nossa condição de humanos com outros humanos. Aliás, para seres humanos não existe vivência, apenas convivência. A nossa humanidade é compartilhada.

Ser humano é ser junto!

RESPEITO SIM, PRECONCEITO NÃO!!!!!

NUNCA ME ESQUECI DA PRIMEIRA VEZ QUE OUVI um ditado chinês que é de grande valia para esta nossa reflexão: "**Quando o jogo de xadrez acaba, o peão e o rei vão para a mesma caixinha**".

O impacto veio quando notei que estava distraído para esta verdade absoluta: nossa igualdade na diversidade!

Ainda assim, há pessoas que, empinando o nariz, dizem: "Você sabe com quem está falando?". Essa fala demonstra a ausência de visão de alteridade. Essas pessoas se supõem detentoras de todos os direitos e de todas as autorizações, acreditam que podem agir da maneira que julgarem conveniente. Essa visão quebra a capacidade de uma relação honesta, transparente, leal e de dignidade coletiva.

E como se libertar dos próprios preconceitos? A primeira coisa que se deve fazer para espantar fantasmas é acender a luz. A frase é antiga e verdadeira: "**O sol é o melhor detergente**". Isto é, traga à luz aquilo que você sabe que pode lhe afetar.

Quem nos oferece um pouco de sol é o filósofo francês Paul Ricœur (1913-2005), com uma definição especial sobre ética que nos ajuda a mantê-la em nosso horizonte: "**Ética é a vida boa para todas as pessoas, em instituições justas**". A fim de aprimorar o raciocínio, vale destrinchar essa frase.

A parte mais fácil é "todas as pessoas". Até porque, se ficar alguém de fora, não é uma ética completa, sem preconceitos.

Mas o que é "vida boa"? É aquela em que o indivíduo não é humilhado pela falta de trabalho digno, não é ofendido pela ausência de lazer sadio, não é vitimado pela falta de moradia adequada, não é atingido pela ausência de comida, de escolaridade acessível, de religiosidade livre, de sexualidade autônoma. Isso é vida boa.

E o que são "instituições justas"? São as que conseguem garantir vida boa para todas as pes-

-soas! Só assim a escola, a família, o poder público, a mídia, a religião, a empresa etc. poderão ser chamados de justos!

Para sermos também pessoas justas, devemos prestar atenção ao preconceito dissimulado ou internalizado. E, sobretudo, não podemos perder a perspectiva lembrada no ponto de partida: ser humano é ser junto! O racismo não é um problema exclusivo de negros, nem o machismo um obstáculo imposto apenas ao universo feminino, tampouco a homofobia é uma ameaça somente a pessoas que se relacionam com outras do mesmo sexo.

Nessa hora, vale lembrar que não existe liberdade individual. A minha liberdade não acaba quando começa a do outro, mas sim quando acaba a do outro. Se algum ser humano não for livre da fome, ninguém é livre; se alguém não for livre da discriminação, ninguém é livre; se qualquer pessoa não for livre do preconceito, ninguém é livre.

É a liberdade e o comprometimento expresso de modo direto e belamente resumido pelo inestimável escritor francês Antoine de Saint-Exupéry (1900-1944): "**Cada pessoa é responsável por todas**".

Assim, novamente, o preceito de Emerson (tornar-se pessoa necessária para outra pessoa) nos convoca, de modo a sermos capazes de trazer à vida em geral, em suas múltiplas formas, e à vida de cada pessoa, uma convivência decente, digna e genuína.

O tabuleiro de xadrez lembrado no ditado chinês ganha agora a companhia de Mario Quintana (1906-1994), que poetou: "**Um dia... Pronto! Me acabo./ Pois seja o que tem de ser. Morrer: Que me importa?/ O diabo é deixar de viver**".

Deixar de viver não é só falecer o corpo; deixar de viver é falecer a esperança, é falecer a dignidade, é permitir falecer a capacidade afetiva, a amorosidade, a solidariedade, a fraternidade. Nós deixamos de viver quando nossa vida perde a capacidade da decência, da convivência, que tem de ser marcada pela saudabilidade das relações. Quando somos tomados por um sentimento que precisa estar presente, mas é ruim de ter, não por si mesmo, mas pelas causas que levam a ele: a **vergonha**. De dois modos: vergonha de ter feito algo e vergonha de não ter feito aquilo que se deveria fazer.

Vida não é só duração! É por isso que o escritor e humorista peruano Luis Felipe Angell

(1926-2004), também conhecido como Sofocleto, lembrava que **"os covardes duram mais, mas vivem menos"**. Não confunda duração da vida com vivência. Duração é extensão, o que vale também para outros seres vivos: até coisas inanimadas têm duração, até coisas que nós chamamos de não vivas — como uma pedra, que existe, mas não vive — têm duração.

A vida não pode ser mera duração, ela tem de ser uma existência em que, primeiro, haja reverência à própria vida e, segundo, haja uma finalidade que não seja apenas durar...

Como nossa existência se dá em meio a outras existências, e cada pessoa é única (mas não é **a** única!), a sociedade também é um espaço que pulsa pelo convívio de diferenças. Como tal, precisa ser um ambiente no qual as pessoas se orientem pela **decência na conexão entre as partes**.

Como a intenção de todo ensino e de todo aprendizado deve ser a construção de uma vida mais plena, mais livre e mais bonita para cada pessoa — e para todas ao mesmo tempo —, entra em cena a decência.

Mas o que é a decência?

Na formação da palavra "decência", o prefixo "dec" significa enfeitar, embelezar, combinar, ornar.

Daí as palavras "decorar", "decoro", "indecoroso" e "indecente". Indecente é o que não combina, não orna, enfeia, destoa, torna disforme. Por sua vez, decente é o que enfeita, torna elegante, ornamenta.

O preconceito, portanto, é uma "coisa feia", tanto porque enfeia aquele que o pratica quanto porque quer tornar feio quem é vitimado. O preconceito não combina com uma humanidade que se deseja fraterna, solidária e feliz. Quando falamos "Aquela é uma bela pessoa", não estamos nos referindo ao aspecto externo da beleza; a intenção é afirmar que aquela pessoa é boa e decente, com atitudes e opiniões que ornamentam a ética da bondade sincera.

Convém lembrar que o preconceito é uma possibilidade, porque é fruto da nossa liberdade de reflexão. Todos somos livres, inclusive para sermos tolos. Não se pode, portanto, impedir que o preconceito apareça entre nós, mas ele pode ser recusado e rejeitado.

Ninguém está isento de presenciar uma manifestação de preconceito no meio em que vive. O que fazer nesse momento? O primeiro passo é impedir que aquela situação se prolongue. Nunca se deve orientar ofendendo nem corrigir humilhando, para que não se produza um novo preconceito.

Há uma antiga regra que diz que se deve elogiar em público e repreender no privado. Isso significa que, se você presencia uma situação de preconceito, deve agir prontamente e com a discrição necessária para impedir que aquele episódio tenha sequência. Em seguida, é fundamental orientar a pessoa que o praticou para que não o faça, explicando o porquê, o que não exclui a necessária denúncia do ato preconceituoso às instâncias responsáveis.

Do outro lado, é imprescindível apoiar a vítima do preconceito para que ela restabeleça a sua sensação de segurança. E, finalmente, aproveitar a ocasião para refletir sobre o acontecido, a fim de que não se repita e que a vítima saiba sobre os seus direitos legais, caso depare com uma situação semelhante.

Ora, a atitude preconceituosa é a adesão automática a algo ou a alguém sem que haja crítica, que é a reflexão necessária para separar o positivo do negativo.

Uma questão curiosa a ser levantada quando se pensa em preconceito é: existe preconceito a favor? Porque, de modo geral, a suposição é de que o preconceito é, invariavelmente, contra algo, alguma ideia ou alguém.

Mas eu posso achar ótimo o que uma pessoa faz, sem notar os deslizes, apenas porque ela nasceu na mesma região que eu, porque torce para o mesmo time de futebol, porque frequenta a mesma igreja etc.

Vale observar com atenção a advertência feita pelo filósofo Friedrich Nietzsche (1844-1900): "**A mentira mais frequente é aquela que se conta para si mesmo; mentir para os outros é relativamente a exceção**".

Um pensamento, uma opinião, uma postura, uma concepção são caracterizados como preconceituosos quando não admitem ou não abrigam pensamento crítico em relação ao que se pensa, ao que se avalia, ao que se opina. Portanto, uma opinião pode ser preconceituosamente favorável ou preconceituosamente contrária a algo.

Algumas pessoas, ao falar, até enfatizam a separação da palavra, pronunciam pré-conceito. E faz sentido, na perspectiva de que o pré-conceito é uma manifestação que não passou pela análise crítica, veio à tona sem ponderação ou reflexão. Desse ponto de vista, existe, sim, preconceito a favor e preconceito contra.

Utilizemos outra situação como exemplo para reforçar o conceito: toda vez que tomo uma posição favorável em relação aos meus filhos — o que é comum entre pais e mães —, sem ter feito uma avaliação cuidadosa sobre o ato que praticaram, movido apenas pelo fato de ter amor por eles. Ocorre que, mesmo com intenção amorosa, esse posicionamento me faz estabelecer o preconceito, porque estou perdendo a capacidade de exercer a crítica.

O preconceito exprime antipatia ou simpatia por algo ou por alguém sem passar por uma reflexão sobre as razões para aceitar ou rejeitar. Portanto, **o que é preconceito? Uma adesão automática a uma ideia, pessoa, concepção ou posicionamento sem fundamento de reflexão.**

É normal ouvirmos: "Eu queria fazer uma crítica a você, mas não leve a mal, é uma crítica positiva". Essa formulação, no entanto, está equivocada. Alguém que tenha esse tipo de postura não pode nem começar a fazê-la, pois a crítica pressupõe ser positiva e negativa em si mesma. Criticar já é separar o positivo do negativo, o aceitável do rejeitável, o assimilável do descartável. Como toda crítica é uma escolha entre o que se acata e o que se rejeita, o que se deve levar em conta é a intenção da crítica, isto é, se ela é construtiva ou destrutiva.

Quando um professor corrige um trabalho ou orienta um aluno, está fazendo uma crítica. Ele dirá o que serve e o que não serve, o que está correto e o que não está, de acordo com os critérios utilizados. Nessa hora, se o desejo é construtivo, vai sugerir a melhoria de caminhos e percepções; se é destrutivo, partirá para a humilhação e reprimenda constrangedora.

A palavra "crítica" vem de *kritérion*, com origem na Grécia Antiga. Utilizada na agricultura, significa "separar", seja o arroz da palha, seja o joio do trigo... Em algumas localidades do interior do Brasil, chama-se isso de "catar o arroz", "catar o feijão" — separar aquilo que queremos guardar daquilo que desejamos descartar.

O preconceito, diferentemente da crítica, é a adesão irrefletida. Isto é, uma convicção sem fundamento — seja contra, seja a favor — de algo. Em última instância, o preconceito é a indicação de uma simpatia ou de uma antipatia que não passam por uma reflexão mais densa e mais rigorosa.

Desse ponto de vista, o preconceito é a antipatia ou a simpatia gratuitas. É equivocado, portanto, ser automaticamente favorável ou automaticamente desfavorável a alguém, a alguma ideia ou a alguma coisa.

Um exemplo de automatismo favorável: "Olha, não me importa o que você pense nem o que faça, para mim, você é o máximo". Isso é uma forma de pré-conceito, ou seja, um conceito prévio que impede a crítica necessária para que não se viva automaticamente. Exemplos no sentido contrário seguem a toada do "não vi e não gostei", "não comi e não gostei", "não li e não quero saber". A expressão popular: "Não sei, não quero saber e tenho raiva de quem sabe" é a máxima do preconceito desfavorável.

Esse impulso de aderir ou rejeitar sempre tem origem em alguma experiência. Aquilo que já foi vivido, visto e entendido faz a pessoa (ao deparar com uma situação semelhante) achar que está diante da mesma coisa. Esse é um dos motivos que tornam o preconceito perigoso. Essa reação automatizada impede uma convivência saudável e, sobretudo, faz a vida com outras pessoas e outras ideias ser meramente repetitiva.

O preconceito resulta de um critério automatizado, porque usa o que já se sabia para decidir se algo é válido ou não. Por que o preconceito pode ser a favor ou contra? Porque a adesão ou a rejeição virá a partir de experiências anteriores que podem ter sido positivas ou negativas.

Logo, se queremos buscar todas as práticas não preconceituosas e orientar as relações sociais, afetivas, entre tantas outras que abrigamos em nosso convívio, devemos nos colocar limpos e despidos dessas cargas históricas e culturais, quando não criticadas.

É sempre importante lembrar que temos capacidade de ser objetivos, e não neutros. A neutralidade é uma impossibilidade, uma vez que a nossa herança cultural, histórica e vivencial marca nossos olhares. Por isso, buscar mais objetividade exige como movimento fundamental pensar e olhar a nós mesmos, na medida em que também manifestamos essa condição.

Há pessoas em nosso trabalho de quem às vezes não gostamos por causa do sorriso, por exemplo. De repente, aquela pessoa sorri de um jeito que nos lembra uma tia que não conta com o nosso agrado ou tem um perfume que faz recordar uma situação ruim. E o contrário também ocorre: alguém que, por exemplo, usa um perfume ou um sabonete que traz boas lembranças, um cheirinho ligado à infância que nos produz simpatia.

"Simpatia" e "antipatia" são termos que advêm do radical grego *pathos*, que, na origem, significa "aquilo que produz uma ligação", "aquilo que estabelece uma conexão". Para ser mais direto, *pathos* é "aquilo que afeta". Como o prefixo *sym*, no grego arcaico, é "junto, aquilo que agrega", simpatia é "aquilo que afeta junto" e, portanto, "o que une". Antipatia é o que desafeta, afasta. Da expressão *pathos* também derivaram as palavras "patologia" e "paixão". A palavra "compaixão" significa "o sofrimento meu com o outro", "aquilo que **nos** afeta".

O preconceito é passional, movido por forças que nos afetam, seja de forma negativa, seja positiva, e, em ambos os casos, de forma não reflexiva. Não é, portanto, o caso de ser neutro, pois nunca o somos. Devemos procurar a máxima objetividade em nossas práticas.

O pensamento acrítico, aquele que não é organizado por uma reflexão, pode repetir equívocos. Ademais, nós, humanos, contamos com a capacidade de não sermos repetitivos.

O pensador alemão Karl Marx (1818-1883), no século XIX, dizia que **"a melhor das aranhas sempre será pior que o pior dos tecelões"**. Esta é uma ideia especial: a melhor das aranhas faz teias inacreditáveis, mas fará sempre a mesma teia. Ela jamais será capaz de fazer a teia de outro modo. Por mais perfeita que seja a teia, a aranha não inova, não cria, não produz o inédito. Apenas repete. O preconceito, por ser repetitivo, reduz o número de respostas, restringe o repertório de soluções com que podemos contar para pensar, agir e viver melhor.

Convém observar que, favorável ou desfavorável, o preconceito sempre é prejudicial. As consequências negativas do preconceito desfavorável são mais óbvias e diretas. Mas mesmo o preconceito favorável é danoso. A pior coisa que pode acontecer para um educador, um gestor e um governante é a bajulação, porque ela estimula o comportamento repetitivo, desfavorecendo a crítica. A bajulação é a anulação da crítica, portanto é o desprezo da capacidade de crescimento da outra pessoa.

A propósito, ser capaz de acolher percepções diferentes é um sinal de inteligência, porque amplia o repertório de compreensões. Alguém que fica limitado ao seu próprio território mental tem uma rarefação de visão acerca de si mesmo e do mundo.

Um dos grandes valores da diversidade é que ela estende as possibilidades de compreensão, de percepção e de ação. Quando existe um "cercadinho", a compreensão é menos nítida. Às vezes, quando saio do prédio em que moro, cruzo com algumas pessoas que dizem: "Gostei da sua entrevista", "Você é o cara". Se eu olhar só para esse recorte, vou achar que realmente sou "o cara". Se aparecer alguém que diga: "Você não pensa direito", "Você está equivocado", e eu rebater de modo irrefletido: "Isso é bobagem sua", "Você não entende nada, eu sei o que faço", perco a ocasião de refinar as minhas próprias compreensões.

Desse modo, o preconceito é uma redução mental que diminui a capacidade de conviver, de refletir, de fazer melhor, de inovar e de partilhar.

O preconceito, em suma, estilhaça a ética libertadora, protetora da vida plena e consciente.

PRECONCEITO: NATURAL, NORMAL OU COMUM?

NOSSA CONVIVÊNCIA EXIGE A NOÇÃO DA IGUALdade de existência, e, para isso, é preciso afastar qualquer forma de arrogância, discriminação e preconceito.

A pessoa preconceituosa acredita ser o único tipo válido de ser humano e se relaciona com o outro não como se fosse outro, mas como se ele fosse menos — por causa do dinheiro que acumula, da cor da pele que tem, do nível de escolaridade que possui, do sotaque que carrega, da religião que pratica. São atitudes que apequenam a vida e a alma, se entendermos a alma como a nossa própria identidade.

O escritor e jornalista espanhol Ramón Gómez de la Serna (1888-1963) tem uma frase muito instigante: **"Idiossincrasia é uma enfermidade sem especialista"**. Afinal de contas, se idiossincrasia é aquilo que é mais particular dentro dos particulares, não há possibilidade de alguém tratar esse tipo de coisa, porque teria que entender de mim e comigo e em mim, do mesmo modo como eu me entendo.

Idiossincrasia vem de *idi (o)*, do grego antigo, e significa "próprio". Em outras palavras, é o tipo de particularidade, de propriedade que está marcada dentro de cada pessoa. Vez ou outra, encontramos pessoas que são ainda mais idiossincráticas, que fazem questão de enaltecer a marca de exclusividade: ninguém tem dor de cabeça como elas têm, ninguém se mata no trabalho como elas se matam, ninguém tem problemas como elas têm...

Essa percepção guarda uma proximidade com a ideia grega do *idiotés*, do "idiota", aquele que está fechado em si mesmo. Claro que nós temos uma identidade que nos diferencia, mas também temos pontos de contato, pontos de coincidência com outras pessoas.

O teólogo catarinense Leonardo Boff (nascido em 1938) diz que **"um ponto de vista é a vista a**

partir de um ponto". Isso significa que há outros! A ética, entre outras coisas, nos obriga a perceber que existe uma multiplicidade de pontos de vista.

O indivíduo preconceituoso, entretanto, acredita que o único ponto de vista a ser considerado é o dele. E é justamente essa incapacidade que o impede de compreender a razão central da ética: a visão de alteridade. É essa visão que nos permite ver o outro como outro, e não como estranho.

Mas e esse **"outro"**?

Os latinos usavam a expressão **ego** para **"eu"**. E dispunham de duas equivalentes para tratar quem não fosse eu: **alter**, que significa "o outro", de onde deriva "alteridade", e **alien**, indicando "estrangeiro", e que está na origem de palavras como "alienado", "alheio", "alien", "alienígena". Nos filmes de faroeste mais antigos, o nome que se dava para quem não era daquele lugar era "forasteiro", "estrangeiro". Em inglês, até hoje se usa *stranger* ou *foreigner*. "Aquele que não é daqui", "aquele que não é como nós", e talvez "aquele que é menos".

Quem são os outros para nós mesmos? O mesmo que nós somos para os outros, ou seja, outros!

Um exemplo: trabalhei três anos como consultor no Rio Grande do Norte, ajudando a fazer uma cartilha de alfabetização. E esse projeto envolvia professoras de Caicó, João Câmara, Mossoró, Pau dos Ferros, Ceará-Mirim, entre outras localidades.

Até então, meados dos anos 1980, boa parte das cartilhas no Brasil era feita só no Sudeste e tinha de ser usada em todo o país, pois se entendia essa referência como certa e exclusiva.

Numa tarde de sábado, estávamos merendando. Lá pelas tantas, falei: "Eu gosto demais de trabalhar com vocês, e tem uma coisa que eu acho uma delícia no nosso convívio: o sotaque de vocês". E elas falaram: "Que sotaque? A gente não tem sotaque, é você que tem sotaque". Eu me dei conta de que era verdade! A minha fala era a diferente ali...

É preciso, portanto, muito cuidado para não julgarmos qualquer situação partindo apenas do nosso próprio ponto de vista, para não cair na armadilha da arrogância – atitude que abre espaço para que o preconceito se instale.

Algumas pessoas acham que existe "gente que vale" e "gente que vale menos" ("minigente", "nanogente", "subgente").

Quando alguém tem esse tipo de postura, o reflexo na ética é muito forte.

Como costumo dizer: **ética não é cosmética**. Ética não é uma fachada, não é uma discussão cínica à qual se finge adesão.

Afinal de contas, trata-se da capacidade de preservar a dignidade do outro — e a própria — nas relações que se constroem no nosso dia a dia.

Em 1988, a histórica Editora Brasiliense (fundada, entre outros, por Caio Prado Júnior e Monteiro Lobato) publicou a tradução do livro *Aprender antropologia*, do antropólogo francês François Laplantine (nascido em 1943). Na leitura, fiquei (e fico até agora) pensando em um trecho que copiei já na época, pois serve também para nós:

> [...] presos a uma única cultura, somos não apenas cegos às dos outros, mas míopes quando se trata da nossa. A experiência da alteridade [...] leva-nos a **ver** aquilo que nem teríamos conseguido imaginar, dada a nossa dificuldade em fixar nossa atenção no que nos é habitual, familiar, cotidiano, e que consideramos "evidente". Aos poucos, notamos que o menor dos nossos comportamentos (gestos, mímicas, posturas, reações afetivas) não tem realmente nada de "natural".

Por isso, toda vez que avaliamos uma ideia, uma questão ou uma pessoa, usamos critérios. Esses critérios apresentam três grandes distinções: aquilo que achamos natural, aquilo que achamos normal e aquilo que achamos comum. A diferenciação entre esses termos nos ajuda a pensar sobre o preconceito:

- **Natural**: o que nasce conosco.
- **Normal**: o que está na norma, escrita ou praticada.
- **Comum**: o que se estabelece pela frequência com que ocorre.

Por exemplo: mulheres serem mães é natural, normal ou comum? Do ponto de vista biológico, natural não é, porque umas são, e outras não. Algumas podem sê-lo e não o são por escolha. Outras não podem, mas querem ser, então adotam métodos diferentes para ter filhos. Portanto, natural não é. Mudemos um pouco a pergunta: mulheres poderem ser mães é natural, normal ou comum? É natural. Mulheres poderem é natural, mulheres serem não é natural. Isto é, não é porque alguém é mulher que obrigatoriamente será mãe.

E quanto a mulheres cuidarem de crianças, isso é natural, normal ou comum? Depende da sociedade, portanto não se pode afirmar que seja natural. Há sociedades em que os homens cuidam das crianças. Há sociedades em que é normal que sejam as mulheres, faz parte da norma social. Existem sociedades nas quais é comum, ou seja, há uma frequência maior de mulheres cuidando, mas não faz parte da norma social. No Brasil, mulheres cuidando de crianças já foi considerado natural. Depois, essa prática passou a fazer parte da norma social e hoje é comum. Mas fala-se, inclusive do ponto de vista jurídico, de "guarda compartilhada", uma ideia que só passou a existir a partir dos anos 2000.

Com base nessa reflexão, é possível concluir que:
- no que é natural não dá para mexer tanto;
- quanto ao que é normal, pode-se mudar a regra;
- em relação ao que é comum, é preciso diminuir ou impedir a frequência.

Existem vários perigos nessa relação normal-natural-comum, e o preconceito vem à tona quando algo comum é considerado normal, ou algo normal é tomado como natural. Em outras palavras, naturalizar aquilo que é mera convenção, que está na norma, um acordo ao qual alguém adere ou é obrigado a aderir. Por exemplo, eu abro uma frase na sala de aula para as pessoas completarem os pontinhos: "Um homem, quando tem um problema sério, senta e...". Em geral, as pessoas completam com "pensa". "A mulher, quando tem um problema sério, senta e..." Essa frase, em geral, é completada com "chora". O preenchimento dessa lacuna é prévio. *A priori*, já existe uma resposta para aquilo que virá.

Essa resposta sugere que é natural para as mulheres agir desse modo. Basta lembrar que o ponto de partida do psiquiatra austríaco Sigmund Freud (1856-1939) na psicanálise foi exatamente a observação de mulheres em estado de desespero e convulsão. A isso ele chamou de "histeria". Em grego arcaico, *hústera* quer dizer "útero". A histeria na origem parecia ser algo exclusivamente feminino. Também o cinema norte-americano dos anos 1940 e 1950 frequentemente apresentou a mulher como histérica, que precisava ser disciplinada por um homem. Para isso, ele deveria fazer duas coisas: esbofeteá-la ou chacoalhá-la, o que hoje seria absurdo, mas o cinema mostrou como normal. Imaginava-se: "Dado que é natural que a mulher seja histérica, o ato normal de um homem é trazê-la à razão". Há dezenas de filmes em que esbofetear ou balançar uma mulher pelos ombros a faz voltar à razão. Qual razão? Aquela que apenas homens teriam, sem privação?

Outro preconceito nessa suposição de natural-normal-comum: por muitas décadas, utilizou-se no Brasil a chamada "tese de legítima defesa da honra", que, embora não estivesse exatamente prevista em lei, tornava justificável o assassinato de mulheres flagradas cometendo adultério, por exemplo. Hoje, essa tese já é considerada superada, inclusive com avanços como a lei do feminicídio, mas apenas recentemente, em 2021, o Supremo Tribunal Federal deixou clara a inconstitucionalidade da prática.

Aquilo que muitos entendiam como "natural" — um homem traído que vinga a honra com sangue — passou a ser uma norma social não escrita, mas também um ato não punido. Hoje, ainda bem, isso é considerado absurdo.

Esse desdobramento serve para exemplificar que o preconceito está relacionado ao seu tempo de manifestação. Há situações em que ele é encarado como natural; depois, apenas entendido como normal; e, em outro momento, percebido como comum. Quando passa a ser visto apenas como frequente, é sinal de que aquela determinada situação não é obrigatória nem pela natureza nem por uma norma de convenção e, portanto, pode ser reduzida ou eliminada.

Daí a importância dos precursores de determinados movimentos que vão contra essas normas, ainda que no início pareçam menos relevantes. Em 1971, a atriz Leila Diniz (1945-1972), grávida, foi à praia no Rio de Janeiro usando biquíni. Até então, o costume era as mulheres ocultarem a barriga com uma espécie de cortininha no traje de banho. Ao exibir a barriga exuberante, Leila quebrou um padrão e, aos poucos, outras mulheres passaram a fazer o mesmo, o que foi afastando a suposta estranheza de uma grávida expor a sua condição corporal num espaço como a praia. A ideia de assimilação de padrão tem a ver com hábito.

Até o final do século passado, o futebol feminino era visto como algo exótico, o esporte não era "coisa de mulher". Agora, não só foi incorporado ao dia a dia, como as transmissões de partidas são mais frequentes na programação esportiva. Há mulheres narradoras e comentaristas tanto nos jogos masculinos quanto nos femininos. Em campo, a presença de árbitras e auxiliares tornou-se comum. Não causa mais estranheza que clubes de futebol tenham mulheres na presidência ou em outros cargos diretivos.

De modo geral, ações e mobilizações pontuais de recusa à discriminação servem como alerta. Não são suficientes, mas são necessárias para que não se habitue com o preconceito e para que se olhe a diversidade como uma composição.

Nossa tarefa em relação ao preconceito é mostrá-lo como comum. O preconceito não pode ser compreendido como natural nem como normal. As nossas normas o rejeitam, e a natureza não o traz à tona. Ser frequente é uma questão de quantidade, portanto o nosso intuito tem de ser dificultar o aparecimento dessa prática.

Sempre que se fala em preconceito, muitos dizem que a escola precisa dar conta de retirá-lo das crianças e dos jovens desde cedo. Contudo, apesar de ter um papel fundamental nisso, a escola não é a única responsável. É preciso ter clareza de que a escola faz a escolarização. A educação é um conceito mais amplo, que compreende a escolarização. Quando se fala em educação, é necessário considerar as interfaces com a família, a mídia, o grupo de amigos, os sindicatos e as instituições sociais em geral. Todas essas instâncias devem contribuir para prevenir e ultrapassar o preconceito. De acordo com o educador pernambucano Paulo Freire (1921-1997), não é a escola que vai mudar o mundo. Mas, sem a escola, o mundo não muda. Não é a escola sozinha que vai alterar esse quadro. Mas, sem a escola, esse quadro não se altera.

Em suma, o preconceito é uma ocorrência e, como tal, pode e deve ser enfrentado e recusado. Muitas vezes, o tema do preconceito é trazido na forma de um discurso, uma fala sobre ele. Mas há uma diferença significativa entre **falar sobre preconceito** e **falar de preconceito**. E não se trata apenas de uma sutileza no campo vocabular.

O preconceito precisa ser olhado a partir de seu agente e de seu paciente (quem é quem?). O preconceito ofensivo gera o que o filósofo argentino Enrique Dussel (nascido em 1934), ao discorrer sobre ética, chama de **"vítimas"**. Ele prefere esse termo em vez de "excluído", porque "excluído" pode referir-se também à autoexclusão, enquanto "vítima" presume a existência de autoria de alguém que provoque o sofrimento.

Note-se que o preconceito desfavorável nem sempre é percebido pela pessoa que o pratica. Isso se dá geralmente pela suposição de que a maneira como se pensa é a única maneira de pensar. Um modelo acrítico, que leva a pessoa a confundir a própria percepção com aquela que é a correta: "Porque se eu assim penso, assim é o certo". Aliás, qualquer um de nós considera de bom senso a pessoa que pensa como a gente. **Já reparou que ninguém considera de bom senso aquele que pensa diferente?**

Qual é a diferença entre "falar de" e "falar sobre"? Eu, Cortella, sou descendente de europeus, homem, escolarizado, economicamente estável em uma sociedade em que existem disparidades sociais, desigualdades de acesso à escola, de gênero, de etnia, entre outras. Faço parte de um grupo com menor chance de vitimização em relação a preconceitos dessas ordens no dia a dia. Qual é o risco que alguém como eu corre?

Ora, por estar em uma condição que não é tão atingida pelo preconceito, posso ter dificuldade de enxergar a vítima como vítima.

Por isso, "falar de" é falar de dentro. Alguém em condições semelhantes às minhas não é capaz de "falar de" discriminação racial, é apenas capaz de falar "sobre". Quando falamos "de", é a partir de nossa vivência. Quando falamos "sobre", é a partir do nosso conhecimento, da nossa observação, do nosso estudo ou da nossa análise.

Portanto, eu, Cortella, não sou capaz de falar da fome, só sou capaz de falar sobre a fome. Nunca passei fome. Não confunda fome com apetite. Apetite é a expectativa de comida; a fome é a ausência de comida.

A expressão "estou morrendo de fome" para muitos de nós é absolutamente retórica, mas não é o caso para milhões de pessoas mundo afora que ainda hoje não conseguem ter acesso às calorias necessárias para a garantia da sobrevivência. Quando eu digo que "estou morrendo de fome", quero dizer que estou com expectativa de comida, isto é, "estou com apetite".

Eu não consigo falar **de** racismo, porque nunca fui vítima de preconceito racial. Eu faço parte da hegemonia indo-europeia que, em uma sociedade com tantas desigualdades como a nossa, está no padrão considerado referência de normalidade.

Pelo fato de minha condição econômica, étnica, histórica e biológica me proteger bastante do preconceito, não posso falar de certas vivências. Posso falar **sobre** desigualdades de gênero, sobre o quanto as mulheres padecem em sociedades patriarcais como a nossa, sobre uma discriminação feita às vezes consciente, às vezes inconscientemente.

A consciência, a percepção imediata, é outro aspecto relacionado ao preconceito que com frequência nos escapa. Nem sempre a discriminação é consciente.

Um exemplo de discriminação consciente no âmbito da escola é flagrante ainda hoje — embora já tenha sido bem mais — nas cartilhas de alfabetização.

Muitos da minha geração foram alfabetizados por uma cartilha chamada *Caminho suave*, difundida em larga escala no Brasil. Lá pelas tantas na cartilha havia o desenho de uma família. O pai, sentado na poltrona lendo um jornal. Atrás dele, em pé, a mãe, de avental sobre o vestido, segurando uma bandeja com cafezinho. De um lado, um menino brincando com um caminhãozinho; de outro, uma menina com uma boneca. Ora, não se pode dizer que a autora Branca Alves de Lima tivesse a má intenção de estabelecer que "homens leem e mulheres servem". O que ela fez à época foi expressar um preconceito que não era maléfico na intenção, mas o foi no resultado. Ela produziu o que chamamos de "erro honesto".

A intenção não era negativa, mas é um erro, na medida em que induz ao preconceito.

Alguém poderia ponderar que a cartilha foi feita nas décadas de 1950 e 1960. Mas essa argumentação não se sustenta. Nós tínhamos até pouco tempo atrás, mundo afora e no Brasil, alguns jornais de alto padrão que aos domingos publicavam um suplemento feminino. Qual era a suposição preconceituosa? De que jornal era coisa de homem, mas a mulher, aos fins de semana, até teria direito a algum conteúdo, enquanto para os homens ficavam os cadernos de Economia, Política, Literatura, Esportes...

Situações assim reforçam estereótipos, que são indutores do pensamento preconceituoso. Por ser de natureza sintética e, portanto, reducionista, o estereótipo não é analítico. Ele não decompõe as múltiplas partes da questão para compreendê-la. De modo operacional, o estereótipo reduz a um determinado padrão e estabelece: "Assim é". Daí derivam figuras como a loira burra, o carioca folgado, o baiano preguiçoso, o velho decrépito, entre tantas outras.

Por ser desse modo, o estereótipo funciona para quem tem uma militância preconceituosa, para quem tem aversão à diversidade. Colocar várias pessoas sob um mesmo rótulo – "os turcos", "os negros", "os são-paulinos", "os artistas", "os políticos", "essa juventude" – é um modo de dispensar o trabalho de análise, de ir diretamente ao sintético. Para a pessoa que já carrega um conceito prévio, o estereótipo "resolve" mais rapidamente, já vem "pronto para usar". O estereótipo é, portanto, mentalmente "mais barato" – e mais cômodo para quem quer manifestar seus preconceitos.

Convém observar que o preconceito só poderá ser detectado como vitimador por parte de seu autor se a vítima puder se expressar. Ou seja, se ela puder falar acerca do preconceito. É preciso prestar atenção à vítima, porque só ela pode falar a partir da vivência. Vale lembrar o antigo ditado: "Quem dá o tapa esquece com facilidade; quem leva nunca esquece".

O preconceito tem ecos na história das pessoas por ele vitimadas. Ecos que podem durar uma existência inteira e ainda perdurar gerações e gerações em uma mesma família ou em uma mesma comunidade. Aquele que pratica o ato preconceituoso nem sempre percebe, o que não o inocenta.

Retomemos o conceito de erro honesto: mesmo com a intenção positiva, aquilo não deixa de ser um erro. O preconceito é sempre um erro, que pode ser honesto, no sentido de que a intenção não era cometê-lo, ou intencional, desonesto, canalha, isto é, com o objetivo de diminuir, humilhar, menosprezar ou rebaixar outra pessoa.

Mas atenção: é importantíssimo lembrarmos que **o preconceito sempre diminuirá o autor na intenção de diminuir a vítima**. A questão é também detectar e alertar para a existência do preconceito intencional e do não intencional, que não deixa de ser preconceito apenas por não haver a intenção.

Uma das principais obras de Paulo Freire, *Pedagogia do oprimido*, chama atenção também pelo título. Vale notar que ele não escreveu um livro intitulado *Pedagogia com o oprimido*, nem *Pedagogia sobre o oprimido*. A expressão *Pedagogia do oprimido* não é à toa. Paulo Freire também foi oprimido, porque viveu na pobreza, passou necessidade e foi excluído em várias situações. Aliás, quando escreveu esse livro, estava exilado por causa de sua ideologia. Portanto, ele falava *da* opressão, e não *sobre* ela.

Ao falar da opressão, Paulo Freire constitui uma metodologia de formação para a alfabetização de adultos que serve para outros mecanismos pedagógicos e sociais. Embora ele tenha trazido essa concepção em um livro anterior, chamado *Educação como prática da liberdade*, no qual aparece a sua teoria pedagógica e epistemológica (sobre o conhecimento), é em *Pedagogia do oprimido* que Freire aponta como se deve trazer à tona a consciência do oprimido (do pré-conceitualizado).

A vítima (não o agressor) tem a vivência, por isso fala de preconceito. E, em *Pedagogia do oprimido*, Paulo Freire levanta algo que não podemos esquecer: o preconceito torna vítimas tanto aquele que sofre quanto o autor da ação. Porque, **se o preconceito humilha a vítima, ele diminui a dignidade do opressor.**

Nessa obra, em nenhum momento Freire afirma que a libertação diz respeito apenas ao oprimido. Ele diz que "é preciso libertar-se da opressão". Assim como é necessário nos libertarmos do preconceito — seja o agressor, seja o agredido.

Com alguma frequência, vemos a tentativa de desqualificar o sofrimento do outro, acusando-o de fazer papel de vítima ou, para usar um termo que circula bastante, de estar de "mimimi".

Isso me remete à PUC-SP, onde lecionei por trinta e cinco anos. Ali havia o hábito de escrever frases nas paredes. Certa vez, numa sala do curso de Psicologia, havia uma que dizia: "Não é porque você é paranoico que as pessoas não te perseguem de fato". Essa formulação abrange a possibilidade de se dizer que uma queixa seja excesso de sensibilidade, melindre ou mimimi. Mas não significa que a pessoa que se sente atingida por um gesto ofensivo não seja, de fato, vítima. Classificar como vitimismo a reação a uma ofensa, algo que a pessoa compreende como magoante, humilhante, é desqualificar a percepção que o indivíduo tem.

Existem pessoas que se colocam o tempo todo na posição de vítima? Várias. "Fulano não gosta de mim", "Ela não vai com a minha cara", "Eu não progrido porque ele tem inveja de mim". Em alguns casos, o vitimismo está presente, mas a ideia de vitimismo não pode desconsiderar a percepção cotidiana de pessoas que foram feridas, agredidas, diminuídas.

O que precisamos fazer quando presenciamos um ato de preconceito, temos notícia de que ocorreu ou pretendemos educar contra essa prática? Primeiramente, é preciso ter ouvidos para a vítima. No local de trabalho ou em uma sala de aula, não basta fazer somente um discurso sobre preconceito, é preciso que as vítimas contem com suportes para que consigam se expressar. Para que possamos entender com clareza uma situação de preconceito, precisamos ouvir a vítima, e de uma maneira não preconceituosa. Não é simples nem fácil.

É necessário também estar muito alerta para que a vítima não seja infantilizada. A palavra "infante" significa "aquele que não pode falar" ou "ao qual é negada a palavra", ou seja, se supõe que a pessoa não deve ou não é capaz de dizer, ou ainda que se faz de vítima.

A pessoa que ouve precisa ter clareza do quadro, porque, dependendo dos preconceitos que tenha, pode achar que aquele que se queixa esteja se fazendo de vítima, e não que foi tornado vítima...

Será que a gente impede o preconceito? Não. A gente dificulta. A gente impede o racismo? Não. A gente dificulta, responsabiliza, pune e rejeita.

Formar pessoas que não sejam preconceituosas é algo que ajuda, mas não impede que manifestações preconceituosas aconteçam.

Nós não formamos uma pessoa para não ter preconceito nenhum, porque, no meu entender, não há como não ter algum preconceito. É muito complexo supor que eu seria capaz de, no meio da diversidade, entender que aquilo que de mim é diverso é exatamente equivalente a mim no modo de conduta, no modo de ser. A construção da minha identidade se dá na diversidade, mas ela não deixa de ser uma identidade. O fato de eu ser brasileiro faz com que a minha percepção em relação a não brasileiros possa ter, no ponto de partida, um impulso preconceituoso quanto ao modo de ser, ao tipo de convivência, a alguns hábitos.

Eu preciso me vigiar e ficar permanentemente atento. Assim como preciso formar pessoas em casa, na escola, na empresa, na igreja, para que elas não admitam que o preconceito seja inconsciente de modo contínuo, pois há o risco de ele se incorporar como prática e se desdobrar em situações que produzam segregação, exclusão, brutalidade.

Eu posso não gostar de alguém que não torce para o time pelo qual eu torço, mas isso não significa que eu queira fazer mal a ele ou que deseje que ele desapareça. Eu posso somente não gostar; no entanto, é fundamental ter clareza de que não gosto dele pelo fato de ele torcer para o time rival. Eu preciso ter essa consciência, do contrário, corro o risco de agir sem capacidade reflexiva.

A primeira recomendação nesse sentido é que não podemos nos distrair. Somos capazes de preconceito, o exercemos, e ele pode ganhar escala se nos faltar a consciência e não buscarmos reduzir essa incidência. Quem educa precisa ter a exemplaridade como referência.

A segunda medida é não ser conivente com uma situação de preconceito. Se eu vejo um filho contar uma piada ou cometer um ato discriminatório, preciso dizer que isso não é correto, que isso é feio, porque o fato de alguém ser diferente não significa que seja desigual, e provocar a reflexão: "Você está pensando isso porque ela é uma má pessoa ou porque ela é diferente de você?".

É preciso tematizar o assunto, na escola, na família, nos vários contextos. Varrer para debaixo do tapete, como se não existisse, é uma atitude perigosa.

Eu, Cortella, só consigo ir lidando com os meus preconceitos à medida que me vejo diante de uma determinada situação. Ao ter uma reação desconfortável, tento entender a origem dessa sensação. "Estou desconfortável porque não gostei de ser pego por mim mesmo, em flagrante, como preconceituoso, ou porque ainda não consegui lidar com essa diferença e precisarei me formar nesse campo?"

Em nosso favor, vale observar que o passar da vida de cada pessoa e da humanidade nos permite alterar nossas formas de conduta. O estranho não é o filósofo grego Aristóteles (384 a.C.-322 a.C.) ter dito, no século IV a.C., que a mulher era um ser inferior. Estranho seria ele falar isso nos tempos atuais.

A escola é uma parte da formação, ela precisa ter mecanismos de conceitualização que dificultem esse tipo de prática. A formação oferecida numa família, numa igreja, numa escola ou numa empresa não está isolada; está colocada num contexto mais amplo, em que há impulsos preconceituosos no cotidiano e uma parte deles pode vir à tona sem toda a nitidez na consciência. Não significa que, por ser inconsciente, deixe de ser crime, ainda que sem dolo. Eu, Cortella, posso ter uma atitude preconceituosa sem a clareza de que a estou praticando. Mas isso não me permite dizer que "não tenho responsabilidade". Eu não tenho dolo, nem intenção, mas, ainda assim, a responsabilidade continua.

Quando um motorista bate em outro veículo ou atinge alguém, raramente é por ato intencional, mas isso não o exime da responsabilidade em relação àquele evento. Quando eu produzo dano com aquilo que falo, com aquilo que faço, preciso assumir a responsabilidade em relação ao fato.

A interconectividade amplificou as falas e também as reações a elas. Afinal, uma coisa é fazer um xingamento no trânsito, rápido, evanescente, outra é uma ofensa ficar registrada. Essa teia aumenta a repercussão da ofensa, o que produz também uma amplificação do dano.

Afinal de contas, eu sou responsável por aquilo que digo e faço. A minha liberdade tem um ônus, que é assumir as consequências em relação àquilo que falo ou pratico. Se essas falas e práticas colidem com as normas de convivência, a responsabilização pode vir de modos variados: punição pecuniária, suspensão, demissão ou cancelamento – termo cunhado no ambiente digital para designar rejeição a algum comportamento que fere a sensibilidade de parte da sociedade.

Novos tempos? Sim! Então, novas atitudes!

DIVERSIDADE REJEITADA

QUESTÕES LIGADAS À CORPOREIDADE SÃO indutoras do preconceito quando não se está dentro do padrão hegemônico, entendido como normal, saudável, adequado. A pessoa mais gorda, por exemplo, é alvo contumaz da discriminação, por destoar da aparência considerada desejável numa determinada época. Não é casual que se use o termo "sarado" para quem tem um corpo mais atlético.

Nossa sociedade valoriza o sensual, a partir da imagem, e isso se manifesta de várias maneiras. Nas redes sociais, as postagens de fotos sem filtro são pouco frequentes. Isto é, a fotografia deixa de representar a realidade, na busca de uma imagem mais aproximada de um ideal.

Modos de ser, de se apresentar e de aparentar que saiam da regularidade demográfica produzem estranheza. Essa estranheza não é inaceitável; o que ela não pode produzir é preconceito.

Certa vez, num aeroporto, encontrei um time de basquete feminino, várias mulheres com alturas chegando a um metro e noventa, dois metros. É difícil não sentir alguma estranheza diante de um grupo de pessoas que destoa do padrão demográfico. Assim como surgem dificuldades ao encontrar uma pessoa com nanismo. O que fazer? Abaixar-se, curvar-se para falar? Essas dúvidas são compreensíveis, pois nem todo mundo convive com pessoas com essa compleição física. Mas daí a gerar preconceito, olhá-las como anormais, não faz o menor sentido.

Em relação às dúvidas de como se portar, o caminho mais indicado é dialogar com essas pessoas. Afinal, elas podem nos orientar sobre como se sentem mais confortáveis no contato.

Uma perspectiva empática é refletir o quanto qualquer forma de desenquadramento da pessoa pode conduzir a sofrimento. Infelizmente, é comum que uma condição da pessoa seja usada como pretexto para ofensa, a despeito da circunstância. Às vezes, na internet, em vez de argumentarem: "Seu raciocínio está errado", comentam: "Seu gordo", como se isso alterasse o conteúdo do meu pensamento. Assim como poderia ser "seu magrelo", "seu nanico", "sua baranga", "sua velha". São expressões que não têm a ver com o motivo da divergência.

Numa sociedade em que a imagem confere um capital erótico à pessoa, intensificou-se nas últimas décadas uma espécie de "hebilatria", uma adoração à deusa grega da juventude Hebe.

Na história recente do Brasil, expressões como "bossa-nova", "jovem guarda", "cinema novo" contribuíram para criar esse imaginário de que o jovem é sinônimo de renovação, de vitalidade. Assim como o movimento hippie, numa escala global, propunha um mundo refeito a partir da juventude.

De algum modo, essa valorização do jovem levou a um entendimento de que a renovação significaria a secundarização de pessoas com mais idade. O que se renova são as atitudes, as ideias, as condutas, não as células.

Ainda assim, existe o preconceito em relação a pessoas idosas, denominado etarismo, que se dá por uma série de fatores. Há um aspecto cultural, no fato de se entender pessoas com mais idade como menos úteis, menos produtivas – e o critério de utilidade é muito forte na nossa sociedade. Soma-se a isso uma ideia de fragilidade, uma vez que, com o passar do tempo, vamos tendo mais limitações. Mesmo no campo das imagens gráficas, o idoso é representado em uma placa de sinalização por uma figura encurvada, com uma bengala. A percepção da idade é conectada com a ideia de fragilidade.

Essa vinculação de menor rentabilidade e de maior fragilidade passa a se configurar, portanto, como um ônus. Há que se considerar também o fator longevidade, com um tempo mais extenso de vida na média geral da população. Durante décadas, foi usual que os pais auxiliassem os filhos. Nas décadas mais recentes, é comum os filhos terem de prestar suporte aos pais, seja em termos de cuidados, seja em termos financeiros.

Nós nos habituamos com gerações em que, do 0 aos 20, você se forma; dos 20 aos 40, trabalha, constitui família e junta um patrimônio; dos 40 em diante, começa a "desabilitação de aplicativos". Agora, essa conta se modifica, com a ideia de longevidade mais ligada à de qualidade de vida do que era anteriormente. Mas não a ponto de afastar o etarismo.

Vale lembrar o quanto a utilização de idosos em publicidade está ligada à retomada da energia e do vigor a partir do consumo de produtos — como medicamentos que os fazem saltitar, andar de bicicleta, dançar e, sugere-se, transar —, ou para exaltar alguma tecnologia, num discurso de "eu sou velha, mas não sou tonta".

Não se observa isso em outra faixa etária, porque a suposição é de que o outro, mais jovem, detém aquela habilidade, ao passo que o domínio do idoso nesse campo confere um ar engraçado à situação.

Por outro lado, há que se reconhecer alguns avanços que beneficiaram essa parcela da população. Foram criadas diversas redes de proteção para a terceira idade, como atendimentos preferenciais, maior acesso a estruturas de lazer e ampliação de alguns direitos. A pessoa com mais de 60 anos, por exemplo, tem prioridade para embarcar em aviões, para ocupar assentos em locais de concentração ou espera, para atendimento etc. Essa é uma prioridade, não um privilégio.

Na minha visão, a discussão sobre etarismo não tem a ver exclusivamente com os mais idosos. Na realidade, a segregação por idade tem mão dupla. Quantas vezes não se ouvem expressões como "essa juventude não tem jeito", "essa molecada não sabe de nada", "nem saiu das fraldas", "mal chegou e já quer ir na janelinha"? São frases que denotam atritos entre gerações. Em relação a pessoas com mais idade, isso tem um peso maior, porque as referências são geralmente ligadas à noção de decrepitude, decadência, incapacidade. É quase como se falassem "não morreram a tempo", "estão fazendo hora extra".

Durante muito tempo, o fato de alguém ser mais idoso induzia a um respeito maior. Não se pode descartar a possibilidade de olhar as pessoas com mais idade como fontes de conhecimento, de sabedoria. Há um ditado muito usual em algumas regiões da África que diz que "quando morre um idoso é como se incendiasse uma biblioteca".

Era comum a orientação de respeitar os mais velhos. O que é uma frase estranha, porque o respeito tem de ser dado a uma pessoa porque ela é outra pessoa, e não porque nasceu há mais tempo. Estabelecer a regra "me respeite porque eu sou mais velho que você" não é um critério de respeitabilidade. O critério é respeitar porque é outra pessoa, independentemente da idade, da estatura, da escolaridade, do cargo, da etnia, da cor de pele.

A propósito, uma das formas mais agressivas de recusar a diversidade na vida humana é o **preconceito racial**.

Quando o tema do preconceito racial vem à tona, com alguma frequência chega acompanhado da argumentação de que se trata mais de uma questão de preconceito social do que racial. É até alentador imaginar que, se reduzíssemos consideravelmente a desigualdade socioeconômica, estaríamos próximos de extinguir qualquer tipo de discriminação racial.

O pobre é excluído, mas, no nosso meio, o pobre negro tem dificuldades a mais. Basta observar que, mesmo entre as pessoas de renda mais baixa, há negros com níveis inferiores de escolaridade, de remuneração e de condições de vida. Apesar de alguns avanços, ainda é pouco comum a presença de negros no comando de grandes empresas, nos altos postos da comunidade científica, em cargos elevados na gestão pública.

Uma medida para reduzir essa desigualdade foi a criação das "cotas raciais" para acesso ao ensino superior. Ela gerou polêmica desde a sua concepção, mas um de seus pontos mais positivos é justamente a controvérsia. Essa questão traz a diferença histórica à tona, além de explicar o motivo que torna tal medida necessária, pelo menos por um tempo.

Quando se fala contra as cotas raciais, geralmente o opositor da ideia esquece que antes das cotas para negros existiam as "cotas" para as elites. Ou seja, em princípio, as vagas (mesmo que isso não estivesse escrito) estavam reservadas àqueles que passavam pelas melhores escolas privadas. Era outra forma de cota, a cota que invisibilizava o preconceito histórico nela embutido.

Vale ressaltar que as cotas também são eventuais e emergenciais. No Brasil, não é apenas o pobre que é fragilizado. A condição socioeconômica desfavorecida, quando associada a uma etnia que não é a hegemônica, aumenta o potencial de exclusão dos indivíduos com esse perfil.

A intenção das políticas afirmativas das cotas não é a implantação do preconceito às avessas, mas sim a superação de fragilidades e lacunas acumuladas ao longo de anos de discriminação. No cerne da medida está o propósito de reduzir desigualdades, de ultrapassar a diferenciação entre frágeis e poderosos.

Numa analogia, podemos pensar num hospital, em que existe a Unidade de Tratamento Intensivo (UTI) e a enfermaria. Ninguém, em nome da igualdade, diria: "Que se extinga a UTI". Ora, o espaço da UTI é para quem está em uma situação de maior fragilidade. A intenção, evidentemente, é que a pessoa deixe de estar ali o mais breve possível. A situação da "UTI permanente" é extremamente negativa.

Assim, a intenção dessas políticas afirmativas é evitar o adensamento do preconceito ou o não atendimento à sua queixa.

O argumento de que a igualdade precisa vir à tona exige que se trabalhe a equidade de direitos. Estabelecer o princípio da igualdade imediata, isto é, de atendimentos e práticas absolutamente indiferenciados, significaria congelar uma situação que, no momento, é irregular, injusta, malévola.

No mundo das empresas, o discurso inclusivo também foi bastante difundido. Há negócios que encaram a recusa à diversidade como uma restrição de mercado e empreenderam alguns movimentos que comprovam essa visão. Um deles é o aumento do portfólio de produtos, como os dos segmentos de vestuário e de higiene e beleza, direcionados a perfis diferentes, em detrimento de um padrão hegemônico. Até um determinado momento, a mensagem passada era: "Se você consumir este produto, ficará igual a esta pessoa".

Isso deixou de ter apelo. Primeiro, porque com o tempo se descobre que não é assim, não se adquire aquele modo simbólico de ser, exibido pela propaganda. Segundo, porque algumas estratégias de negócio mostram que é melhor diversificar a oferta para atingir mais consumidores.

Não é casual que o termo "customização" tenha ganhado força nas duas décadas mais recentes para designar atendimentos mais particularizados. Ao lidar com a diversidade de corpos, o objetivo dos produtos de beleza, por exemplo, é aumentar o seu mercado. Fazendo um chamado à diversidade, as propagandas se revestem de uma capa ética, a fim de conferir uma nobreza maior a um produto específico. Mas a intenção das marcas não é exclusivamente ética, é também mercadológica.

Enaltecer a multiplicidade de corpos e de orientações sexuais pode ter a intenção de ampliar o mercado; a ética, assim como a proclamação da diversidade, é também um valor negocial. Ainda assim, eu não considero negativa a adoção do princípio. Essa pode ser a razão do ponto de partida, mas, se ela tiver um ponto de chegada que seja mais inclusivo, mais generoso, eu acho ótimo.

Outro movimento feito por algumas empresas foi instituir ações de inclusão, por exemplo, ao fazer recrutamento para integrar mais pessoas negras em seus quadros. Se a intenção foi mais exibir uma imagem positiva perante o mercado, para mim, é indiferente, porque o efeito é a inclusão. Se o ponto de partida é "aparecer bem na foto", há um risco bom, porque dificilmente a empresa consegue retroagir nesse sentido. Não dá para adotar políticas de inclusão e depois políticas que rejeitem a inclusão, porque isso vai degradar a reputação da marca.

Há quem atribua a mecanismos dessa natureza uma reparação histórica, mas isso se dá mais no campo simbólico. Afinal de contas, todo ser humano vive numa "era contemporânea". Trata-se de reparação prática em relação a quem está aqui e agora, e que, por causa das condições negativas que vive no dia a dia, poderá ser novamente vitimado.

A abolição formal da escravatura na sociedade brasileira foi assinada em 1888, portanto se deu há pouco mais de cento e trinta anos. É um período curto demais para que aqueles que foram entendidos exclusivamente como serviçais domésticos deixassem de ser vistos dessa maneira. Uma mudança de percepção que pegou apenas cinco gerações, um tempo muito curto.

Existem ainda marcas muito profundas que nem foram percebidas, seja na nossa linguagem, seja na nossa expressão, seja no nosso comportamento.

Por exemplo, muitos livros de história, ao mencionar os milhares de famílias destruídos no continente africano nos quinhentos anos mais recentes do Ocidente, trazem uma expressão equivocada: "os escravos vindos da África". Colocada assim, dá a sensação de se tratar de um lugar onde escravos nasciam e eram apenas buscados. Isto é, há uma naturalização de uma vitimação. Ora, o termo correto é "escravizado", e não "escravo", dada que essa não é uma condição natural.

Por isso, quando dizem "os escravos vindos da África", "os escravos no navio negreiro", os livros produzem essa naturalização, isto é, uma concepção de que os lá nascidos foram capturados e aqui depois puderam ser libertados.

Há ainda outro preconceito embutido quando se fala em "escravos nascidos na África". A África é um continente, e não um país, portanto não se pode supor que seja uma região unívoca. Assim como sabemos que há identidades nacionais, é preciso evitar esse preconceito em relação à

África, um continente com diversas etnias, idiomas, formações e histórias.

É relevante fazer essa observação porque, como antes afirmado, generalizações podem constituir um manancial para preconceitos. Assim como os povos originários no Brasil foram agregados sob o termo "índios", agora reivindicam serem chamados de "indígenas", e também "populações originárias", porque é a maneira operacional de se lidar com os conceitos. Mas trata-se de um contingente de pessoas com uma enorme variedade de costumes, de idiomas e de culturas.

É necessário reforçar: a generalização é uma das maneiras mais fortes de se desqualificar ou de se tirar a identidade de um grupo. Isso acontece por um pensar metonímico, que é pegar a parte como se fosse o conjunto. A generalização e o pensamento metonímico são formas de fraturar a diversidade, porque são indutores da dificuldade de reflexão, da limitação de repertório, da incapacidade de entendimento de contextos.

Evocar um coletivo abrangente, como "a África" ou "os nordestinos" ou "os flamenguistas", é uma metonimização que geralmente induz a equívoco. Precisamos aperfeiçoar nossas concepções e formações para entendermos que não podemos transformar o que é particularizado numa generalidade.

É como numa orquestra, em que há um todo, mas cada integrante tem a sua particularidade na constituição daquele grupo e tem-se ali uma identidade. O Brasil é um país, mas ele tem diversidade. Convém sempre reforçar que todo aquele que é frágil ou fragilizado em uma sociedade que aspira à dignidade coletiva deve ser protegido. Quem é frágil? A pessoa que tem diminuída sua condição de vida e seus direitos.

A propósito, vale observar que muitas vezes se utiliza o termo "minorias" para designar partes que não compõem a minoria demográfica. É importante lembrar que, quando se fala de minorias, fala-se de minorias políticas, aquelas que têm uma rarefação do poder, uma presença menos potente no cotidiano de um povo, geralmente com representatividade menor do que sua expressão no conjunto da sociedade.

Em tese, não seria possível se referir a mulheres ou a negros como minorias, porque demograficamente não o são. Mas o são no campo do poder, da influência, da representatividade. Os não brancos numericamente são maioria na população brasileira, as mulheres também. Isso não significa que haja o exercício do poder que represente esse contingente. Pobres são minoria política, e não demográfica.

Há ainda aquelas pessoas que são vitimadas pelos preconceitos em camadas, isto é, são alvos de formas cumulativas de discriminação. Por exemplo, ser mulher, negra, de baixa renda — se for trans, há mais uma camada sobre ela.

A diminuição do espaço para que o preconceito venha à tona decorre de movimentos múltiplos dentro da sociedade. Desde a década final do século passado nós avançamos em relação a vários direitos sociais, na proteção à infância, na recusa ao feminicídio. Mas também tivemos uma involução em relação à convivência social e à segurança, gerada pela violência no cotidiano das cidades. Esse movimento não é linear. Experimentamos progressos e retrocessos.

Determinadas pautas contam com o amparo de leis, que contribuem para que os avanços se efetivem. A legislação consegue criar marcos legais, polos de referência, mas não é resolutiva por si mesma, sobretudo quando se trata de questões estruturais, como é o caso do racismo.

A legislação pode criar alguma dificuldade para o indivíduo que tenha um olhar preconceituoso, excludente, mas não impedirá que algum ato ofensivo se concretize. É como a corrupção. Se ela é sistêmica, estrutural, se "faz parte do jogo", por mais que se tenha uma legislação que crie constrangimentos, não se impedirá, na totalidade, que essa prática delituosa aconteça.

No século XX, a legislação no Brasil foi bastante modificada em relação ao racismo. As duas primeiras décadas do século XXI nos permitem dizer que houve um avanço para coibir suas manifestações. Pela legislação, a injúria é mais leve, enquanto racismo é um crime inafiançável. Dado que, muitas vezes, é difícil provar o crime de racismo, o perpetrador nem sempre é punido. O próximo passo é que não tenhamos, nesse campo, uma distinção entre injúria racial e racismo.

Alguns aspectos da convivência vão se aperfeiçoando. Basta lembrarmos que foi a partir de 1988 que tivemos o impedimento legal de crianças serem espancadas por quem tivesse a guarda delas.

Na minha infância em Londrina, apanhar com um esquadro de madeira na escola era tido como "parte do jogo". Em casa, eu nem reclamava para os meus pais. Caso eu o fizesse, provavelmente eles diriam "alguma coisa você fez para merecer". Esse tipo de castigo físico era estrutural.

Historicamente, vamos elaborando nossos modos de lidar com determinadas situações. Ter amparo da legislação é importante, mas, por si só, não impede a prática delituosa. Basta notar que o fato de a nossa Constituição garantir o direito à vida não significa que as pessoas não sejam assassinadas. Ela cria obstáculo, a consciência de que pode haver consequências, mas não impossibilita a ocorrência do crime.

O combate ao preconceito precisa se dar em várias frentes, até porque ele se manifesta de modos variados, comumente acompanhado por argumentos falaciosos, discursos enviesados e linguagem camuflada. Uma das maneiras mais entortadas de lidar com uma questão é fazer o sequestro semântico. Isso acontece, por exemplo, quando se usa o termo "racismo reverso", numa tentativa de dizer que o racismo também é praticado por parte de quem é por ele vitimado, portanto todos seríamos racistas.

Se alguém disser: "Você é um branquelo", isso não é racismo reverso. O racismo estrutural é um sistema complexo, em que a exclusão e a segregação se dão em várias instâncias da vida coletiva. O conceito de racismo é tão recheado de estruturas, de mecanismos, que colocar uma adjetivação nele não estabelece uma equivalência de forças.

Só haveria o racismo reverso se ele fosse espelhado. Se houvesse a mesma proporção na retirada de chances a vagas de trabalho, na submissão à pobreza, no tratamento dado às vítimas pela estrutura policial, entre outras condições. O que caracteriza o racismo é a sistematização da ação excludente, segregacionista. Nesse sentido, colocar essa ideia esvaziadora do racismo como algo que "eu faço, mas você também faz" é não entender o que significa de fato o conjunto estruturado de um sistema de exclusão, de vitimização de pessoas numa sociedade.

Daí minha decisão de colocar a expressão no campo do sequestro semântico. Será que uma pessoa poderia ser preconceituosa em relação a mim como eu seria em relação a ela? Sim. Mas aí é preconceito. Será que eu poderia praticar injúria racial e alguém também praticar contra mim? Sim. Mas isso não é um sistema estruturado. Na sociedade em que vivemos, não há uma organização sistemática, consolidada e historicamente operante que faça, por exemplo, que indivíduos indo-europeus, brancos, sejam vitimados no cotidiano. Isso é que é racismo estrutural, não é apenas injúria racial. Colocar no mesmo patamar, portanto, é tirar a densidade da ideia de racismo estrutural.

E, quando se almeja a ideia de uma elevação da vida coletiva, o parâmetro deve ser a busca de modos de uma sociedade mais justa e equânime. Do contrário, vem a ideia trazida por Paulo Freire, também no livro *Pedagogia do oprimido*, de que, "quando a educação não é libertadora, o sonho do oprimido é ser o opressor". Nesse caso, a ideia não seria de justiça, mas de revanche. Quando pensamos em diversidade, em reparação histórica de danos produzidos a pessoas, a comunidades, a ideia que deve prevalecer é de justiça, não de vingança nem de revanche.

Assim como cabe lembrar que justiça com as próprias mãos não é justiça, é desforra. Nessa hora, a noção de justiça é ampliada. Uma recusa ao racismo não é dar o troco e, desse modo, deixar igual. "Eu sofri e agora você vai ver como é sofrer." Não. A ideia é que ninguém deve sofrer. Nem eu, nem você, nem ninguém.

Desse modo, outra brutalidade contra a diversidade é o **preconceito contra mulheres**, também chamado de sexismo. Embora todos, nos mais variados modos de sermos, devamos ser sujeitos idênticos de direito na nossa sociedade, houve e há uma discriminação especialmente (mas não exclusivamente) contra a mulher ao longo da história.

Por isso, a existência de uma Delegacia de Defesa da Mulher é necessária para atender à fragilidade produzida na salvaguarda das cidadãs contra a violência que, até algumas décadas atrás, era aceita pela sociedade. Certamente, o intuito de uma delegacia com essa especificidade, numa sociedade que avança, é um dia não existir mais.

No início dos anos 1980, quando apareceram as primeiras delegacias da mulher, a reação imediata — estúpida, mas óbvia — de uma parcela de homens e também de algumas mulheres era: "Mas para que delegacia para mulher se não tem delegacia para homem?".

É claro que a criação daquelas delegacias se deveu à correta suposição de que o ponto de verdade se originava no mundo masculino e, portanto, "todas as delegacias eram do homem". Mas a delegacia da mulher seria aquela onde ela se sentiria mais à vontade para denunciar abusos (sexuais ou não) para outra mulher, algo mais difícil em delegacias convencionais. E a mesma resistência se repetiu (e ironicamente pelos mesmos motivos) quando houve a aprovação da Lei Maria da Penha, em 2006, sobre violência de homens contra mulheres, quando em muitas cidades e círculos da própria magistratura foram discutidos os direitos iguais para todos os gêneros, como se eles já existissem... Sendo que não existem até hoje.

O mesmo viés bruto se dá com o **preconceito de gênero** e o de **orientação sexual**. Cada vez mais devemos, também, nos preocupar com a discriminação e os prejuízos contra a acolhida de identidades de gênero (o gênero com o qual a pessoa se identifica) e orientação sexual (como se direciona na pessoa a atração sexual).

A sexualidade tem sido pauta em vários campos do saber. As designações e diferenças vêm sendo debatidas, a ponto de a sigla que sintetiza os padrões fora da heterossexualidade estar cada vez mais extensa. Na segunda década do século XXI chega-se a LGBTQIAP+ (lésbicas; gays; bissexuais; transexuais, transgêneros e travestis; queer; intersexuais; assexuais; pansexuais, e o + para incluir todas as pessoas). Embora haja uma mobilização e conquistas efetuadas por esses grupos, nota-se ainda em nosso país uma frequência preocupante de episódios de violência física e simbólica relacionados ao exercício da sexualidade e à expressão de gênero.

O preconceito em relação à homossexualidade decorre, em grande medida, por não ser uma orientação majoritária no conjunto da sociedade. Ser homossexual ainda é visto por algumas pessoas como um comportamento exótico ou até "anormal". Há uma dificuldade por parte de algumas pessoas em compreender quem é diferente ou diverso daquilo que é tomado como padrão. É necessário compreender a diferença.

De tempos em tempos, um discurso sobre cura da homossexualidade volta a circular com mais veemência. Existe uma diferença entre a ideia de cura e a de apoio, auxílio ou cuidado. Quando se fala em cura, como "me curei de uma faringite", "fiquei curado de uma pneumonia", a referência é a uma patologia, a uma doença. Isso não se aplica à orientação sexual, que vem basicamente da natureza da pessoa e, assim sendo, não é passível de cura.

Em 1990, a Organização Mundial da Saúde excluiu a homossexualidade do rol de doenças psiquiátricas. O próprio Conselho Federal de Psicologia no Brasil veda que esse tipo de processo terapêutico seja usado como promessa de que haverá a "solução" para essa orientação sexual.

A discussão sobre terapias é sempre polêmica. É que alguns consideram que na homossexualidade haveria um distúrbio, um desvio, algo que supostamente seria fora da natureza, portanto passível de ser resolvido. Desse tipo de raciocínio se originou a infeliz expressão "cura gay".

O sofrimento de qualquer pessoa precisa ser olhado com compreensão, inteligência e compaixão, mas, acima de tudo, com competência e capacidade.

Pessoas que eventualmente não se sintam confortáveis com a própria sexualidade podem encontrar na psicologia a compreensão e o apoio de que necessitam. Terapias podem contribuir para aumentar a vitalidade e a capacidade delas.

É claro que muitos profissionais da psicologia que fazem seu trabalho de forma séria dificilmente deixariam de ter cautela nesse processo. Mas não podemos abrir brechas para aqueles que dão a essa discussão um caráter muito mais doutrinador, ou até de natureza religiosa, o que leva a uma outra direção e, portanto, faz parecer que vai se retirar daquele ser um pecado, em vez de oferecer um apoio ou algum tipo de acolhimento.

Vale frisar que há uma diferença muito grande de perspectiva entre falar em cura e reversão e falar em apoio, suporte e acolhimento. Evidentemente, insisto em dizer que não sou contrário que pessoas com uma determinada orientação possam procurar ajuda, quando isso for fonte de desconforto ou sofrimento. Mas, mesmo que de maneira jocosa, chamar de cura é algo ofensivo.

Cabe reforçar: preconceito é quando temos um conceito prévio, uma avaliação antecipada, positiva ou negativa, em relação a alguém, a alguma ideia ou a alguma coisa. Existe preconceito favorável, isto é, eu adiro ou tenho simpatia às ideias de alguém porque ele torce para o mesmo time que eu ou porque pratica a mesma religião que eu. O preconceito é sempre anulador do senso crítico, pois já toma uma posição no ponto de partida, sem uma análise mais acurada.

Quando negativo, o preconceito pode transformar-se em discriminação. Isto é, segregar, recusar e rejeitar outra pessoa apenas porque ela não corresponde ao que eu considero correto. Por isso, a passagem do preconceito à discriminação não é assim tão estreita.

Muita gente, ao não ter simpatia por outra pessoa, passa a recusá-la, procura inferiorizar aquele modo de ser ou, pior ainda, comete atos de violência (física ou simbólica).

Eu preciso olhar aquele ou aquela que não é como eu como diferente, e não como sendo menos. A partir de convicções religiosas, éticas, políticas, partidárias, eu posso, por exemplo, até considerar que alguém que é diferente de mim não está no caminho certo. Mas isso não dá a mim, de maneira alguma, o direito de infligir violência a alguém. Quem o faz é absolutamente inseguro.

Se alguém não consegue convencer-se de que o seu modo de ser é um dos possíveis ou não consegue convencer a outra pessoa de que ela talvez tenha de alterar a sua rota, e usa a violência para isso, é porque já se enfraqueceu.

Todas as vezes que se usa o exagero, a exacerbação, o transbordamento é porque a razão já foi abandonada. Como a violência, nesse caso, é irracional, tem de ser combatida de modo implacável. Porque alguém que é capaz de agredir outra pessoa por ter uma orientação sexual diferente será capaz de fazê-lo também em relação a quem tem uma religião diferente, um time de futebol diferente, um partido diferente.

Para mudar essa atitude preconceituosa, é preciso, acima de tudo, promover um diálogo interior que se oriente pela paz. Refletir significa dobrar-se sobre si mesmo. Há que se considerar o aspecto de que o preconceito não expressa apenas uma opinião, mas pode ser também uma forma de insegurança da pessoa em relação ao próprio comportamento.

Mais do que rejeitar a outra pessoa, há uma certa dúvida em relação ao próprio modo de conduta, na medida em que outros modos de ser colocam isso em xeque. Por isso, se eu tenho preconceito, preciso, sim, me perguntar: qual é a fonte desse preconceito? É uma condição contrária à minha ou eventualmente sinaliza algum espanto ou insegurança que carrego?

Vale insistir neste ponto: a pessoa que não é como você precisa ser entendida como uma outra pessoa. Esse é um sinal de dignidade, de fraternidade, é o que reforça a nossa condição de humanidade.

A VISÃO DE CADA PESSOA

CONFORME A ÉPOCA E O CONTEXTO, O USO DE alguns termos pode esconder ou explicitar preconceitos. Daí o fato de alguns vocábulos serem substituídos no cotidiano, e outros caírem em desuso. Deficiente ou portador de deficiência? Cego ou deficiente visual? Esse terreno das palavras é bastante pantanoso, pois pode conter imprecisões na mesma proporção em que pode embutir preconceito. Quando se começou a falar do vírus HIV, no início dos anos 1980, o termo para se referir a alguém infectado era "aidético". Com o tempo, essa palavra passou a ser evitada, pois denotava uma forte carga de preconceito em seu uso.

Quando ainda não se sabia ao certo quais eram as formas de contágio do HIV, as primeiras manifestações associavam a doença a usuários de drogas, homossexuais e prostitutas. Afora o imenso número de piadas surgidas para ridicularizar esses grupos, os julgamentos morais reforçavam a discriminação. "É gay, é natural que seja assim." "É castigo de Deus." "Mas também, sendo viciado, esperava o quê?" Era a naturalização da sentença: "É aidético, vai morrer".

Com o tempo, os mecanismos de transmissão foram sendo descobertos e verificou-se que a doença poderia abranger um número maior e mais diversificado de pessoas.

Ao passo que as informações foram sendo difundidas, um forte esforço de combate ao preconceito passou a ser feito por profissionais das ciências, educadores, ONGs e pessoas com o vírus. O termo "soropositivo" foi incorporado às falas do cotidiano, enquanto "aidético" foi saindo do circuito.

Pode-se alegar que é apenas a substituição de uma expressão, mas o fato é que algumas formulações carregam uma carga menor de preconceito do que outras. Todas essas terminações, como "morfético" (nome dado no passado também à pessoa com hanseníase) e "caquético" (decrépito, sugerindo velhice), contêm uma negatividade.

Outra expressão comum hoje em dia é "portador de HIV". Há correntes que questionam a precisão do termo "portador", uma vez que quem porta algo pode deixar de fazê-lo num dado momento, o que não se dá com alguém que tenha uma paraplegia irreversível, por exemplo. Não caberia dizer "portador de deficiência", segundo essa linha de raciocínio. Há nuances nessa questão.

No caso das pessoas com HIV, o uso da palavra "portador" exprime uma esperança de que, com os avanços da ciência, um dia elas possam deixar de portar o vírus. Mas, de fato, a palavra "portador" em algumas situações assinala uma transitoriedade; em outras, não expressa a real situação da pessoa em questão. Há quem rejeite a expressão "portador de deficiência física" em caso de uma doença limitante e incurável, por exemplo, por supô-la muito amenizadora daquele quadro. "Eu não *sou* portador de deficiência, eu *tenho* uma deficiência." Mas mesmo a expressão "ter uma deficiência" pode ser questionada. Muitos cegos, por exemplo, não aceitam mais ser chamados de deficientes visuais. "Eu sou um cego, não tenho deficiência. Quem tem deficiência é você, que tem miopia, hipermetropia ou astigmatismo", alguns costumam argumentar.

O terreno da linguagem é minado por perigosas sutilezas. Afinal, as palavras não são neutras. E há que se considerar a influência do ambiente em que estão inseridas.

No Brasil ocorrem debates sobre implicações do uso dos termos "preto" e "negro", com preferências ainda não convergentes de modo único dentro do movimento negro, inclusive vertentes que acolhem o uso de ambos. Não há ainda consenso, embora seja notória a luta por retirar do circuito expressões que possam conter uma carga racista.

Nos Estados Unidos, *nigger* é uma ofensa racial, assim como *colored*, sem que *black* o seja. Mas foi considerado natural usar esses termos em séculos passados. Será que é uma questão de escolha das pessoas? Não apenas. É uma questão de tempos, de vivências e de modos de relacionamento.

Há tratamentos que não são considerados preconceituosos em determinada época, mas posteriormente acabam chamando a atenção das pessoas que percebem a intenção maléfica das palavras.

Essa tomada de consciência resulta de dois movimentos. Primeiro, as vítimas se manifestam, seja sob a forma de reação, seja de organização. Segundo, os vitimadores também percebem que aquele determinado tratamento carrega um teor discriminatório.

Já vivi cenas emblemáticas de como algumas expressões, além de preconceituosas, são bastante equivocadas. Especialmente esta, sobre "homem de cor", eu gosto de recontar.

Nos tempos de magistério, eu tinha um colega negro. E na minha sala na universidade havia uma mesa de trabalho comprida. Certo dia, estávamos eu e outra pessoa numa ponta e esse meu colega na outra, sozinho. Uma pessoa entrou na sala e perguntou por ele.

A pessoa que estava comigo, solícita, falou: "É aquele professor de cor", e apontou meu colega, do outro lado da mesa.

É o tipo de informação idiota, porque não se identifica uma pessoa assim. Se alguém chegasse dizendo "Por favor, o professor Cortella?", ninguém diria "É aquele professor branco ali", porque essa informação nada acrescenta.

O colega ouviu e, depois de atender quem o procurava, aproximou-se de nós e disse o seguinte:

"Você me chamou de professor de cor? Deixe-me explicar uma coisa: eu nasci negro. Quando cresci, continuei negro. Quando vou à praia, negro permaneço. Se eu tomar um susto, negro ficarei. Se eu estiver doente, negro continuarei. Se eu tomar um chute na canela, negra ela será. E, quando eu morrer, negro permanecerei! Você nasceu rosado. Quando cresceu, ficou branco. Vai à praia e fica vermelho. Se tomar um susto, fica amarelo. Quando está doente, fica verde. Se tomar um chute na canela, ela fica roxa. E quando morrer vai ficar cinza. Quem é que é o homem de cor entre nós dois?".

Nosso objetivo deve ser diminuir ao máximo a possibilidade de uma manifestação de preconceito acontecer. Mas essa tarefa requer uma vigilância permanente. Não há uma cura, uma solução. É mais ou menos como a medicina. A medicina não cura, ela cuida. A vida é incurável, ela é apenas cuidável. E o preconceito é inevitável como possibilidade. Preconceito pode vir à tona a qualquer momento, em qualquer tempo da vida da gente. Não haverá um momento em que estaremos imunes, porque as ocasiões em que ele pode emergir, os momentos em que podemos ser acríticos, surgem enquanto estivermos vivos.

Não há, portanto, uma dissolução de preconceito, não é um problema de química. Tanto que não falamos da "solução do problema do preconceito", mas usamos a expressão superação. Superar significa levar adiante, isto é, ultrapassar. É diferente de solucionar, pois, em uma solução química, é possível dissolver, resolver ao fazer desaparecer o que existia antes. E o preconceito não tem solução, somente superação.

A superação se dá nas mudanças através dos tempos. Aliás, algumas expressões são representativas de seu tempo. Não deveríamos, por exemplo, eliminar da obra de autores como Monteiro Lobato e Mark Twain — que foram alvo de polêmicas décadas após seus respectivos lançamentos — as referências históricas que fizeram e que contêm situações e termos hoje considerados preconceituosos. Como também não deveríamos mudar a letra da marchinha "Nega do cabelo duro, qual é o pente que te penteia?", de David Nasser e Rubens Soares. Eu não deixaria, no entanto, de contextualizar aquela situação, usando-a eventualmente como exemplo em sala de aula, para ilustrar a questão histórica que envolve a construção da preconceitualização.

Quando Monteiro Lobato utiliza, por exemplo, uma referência à "Tia Nastácia" do Sítio do Picapau Amarelo, como "aquela negra", no contexto em que está sendo usada, a percepção não é (propositadamente inserida pelo autor) de natureza ofensiva. Não se deve retirar isso de uma obra; o que se deve fazer é trazer o contexto à tona para que haja uma compreensão de como algo num determinado momento nem é percebido como preconceito. Mas, sobretudo, enfatizar que as coisas podem mudar através dos tempos. E, em muitos casos, devem.

Convém lembrar que um dos artifícios usados por quem deseja inferiorizar outra pessoa é tirar dela as características de ser humano. Por isso, as associações com animais acontecem com grande frequência. Entretanto, há que se ressalvar que chamar alguém pelo nome de outros animais pode servir tanto para depreciar quanto para apreciar.

Dizer que uma mulher é uma gata ou o homem é um gato é um comentário elogioso, assim como dizer que alguém é uma águia ou um tigre. Mas existem formas preconceituosas de tirar a humanidade de alguém usando termos como rato ou cachorro.

Apesar de o cão ser um animal admirado, designar alguém como cachorro transmite a ideia de um indivíduo sem-vergonha. No linguajar do dia a dia, o homem é chamado de cachorro quando é infiel ou quando apresenta acentuados desvios de conduta. Referir-se a uma mulher como "cadela" também tem um intuito altamente depreciativo.

Nesse tipo de situação, é possível observar inclusive a existência de preconceito dentro do preconceito. Por exemplo: o número de animais usados na associação a uma mulher que se queira atingir no campo da sexualidade é muito superior ao número de apelidos animalescos destinados a um homem. A mulher pode ser chamada de galinha, cadela, vaca, cabrona, potranca, piranha... Em relação ao homem, a lista é mais limitada: cachorro, "um galinha", veado. Preconceito dentro do preconceito, ou seja, até na hora de sermos preconceituosos há situações que têm uma carga muito maior de discriminação.

Fora da esfera da sexualidade, a animalização também é um expediente para ofensas raciais. Por exemplo, chamar uma pessoa negra de macaco. A intenção nesse insulto é sugerir que o alvo da ofensa tem uma inteligência assemelhada à do ser humano, mas não é humano, é como se fosse um pré-humano, um quase humano. Essa desumanização é uma maneira forte de depreciação e retrocesso na busca pela dignidade da vida coletiva.

Em nosso país, ainda com alto índice de analfabetismo adulto, a palavra "analfabeto" é usada como xingamento ou para avaliar mal alguém. E, quase sempre, uma pessoa que de fato seja analfabeta o é por ter sido excluída, e não por ter optado por essa condição.

A falta de acesso à alfabetização e ao letramento por si só já é uma dor imensa para a pessoa. Imagine utilizar essa expressão de modo ofensivo para acentuar ainda mais a exclusão. Essa é uma marca tão forte na nossa sociedade que somente na Constituição de 1988 foi admitida a participação política plena das pessoas nessa condição como votantes.

A discriminação da pessoa não escolarizada ou que tem menos escolaridade se baseia no pressuposto de que ela "é menos gente" por ter pouco estudo. Obviamente, não se trata de fazer exaltação da miséria, mas de alertar que as pessoas com pouca escolaridade precisam ser respeitadas porque são pessoas; elas simplesmente tiveram seu direito à educação formal sequestrado.

O preconceito também se perpetua por ações e pensamentos automatizados. O contato com novas realidades é sempre um bom caminho para enxergar formas de convívio mais acolhedoras.

Docente que sou, passei por experiências que me fizeram perceber a existência desses mecanismos e, depois delas, fui mudando algumas coisas na minha linguagem. Por exemplo: passei a vida dando aulas e fazendo palestras, mas nunca havia ficado diante de uma plateia formada exclusivamente por cegos. A primeira vez foi em uma atividade na Sociedade Amigos da Biblioteca Braille, em São Paulo. Havia cerca de duzentas pessoas no auditório.

Um primeiro estranhamento: nós, docentes, estamos habituados a que as pessoas estejam minimamente voltadas para nós enquanto falamos. O aluno que não olha em nossa direção é evasivo, distraído ou insolente. E eu tinha à minha frente metade da plateia virada para o lado esquerdo, e a outra metade para o lado direito. Nos primeiros vinte minutos senti um desconforto em relação àquilo. Depois percebi que as pessoas, por serem cegas, estavam voltadas para as caixas de som.

Ora, eu tinha que alterar um paradigma meu. E a palavra "paradigma", no grego arcaico, significa "mostrar ao lado", isto é, o paradigma é um modelo. Uma coisa paradigmática é aquela a que eu recorro para usar como exemplo. Um paradigma é um jeito de pensar, de fazer, de olhar. O preconceito resulta de paradigmas imóveis. No meu paradigma docente, fiquei incomodado de não ter pessoas olhando na minha direção. Foi um grande aprendizado, e não parou ali.

O segundo momento de incômodo aconteceu no meio da palestra, porque notei que, por força do hábito, usei algumas vezes a expressão "vejam bem". Este é outro paradigma docente: nós passamos boa parte da vida lidando com pessoas que não são cegas e escrevendo na lousa ou no quadro.

Para piorar meus incômodos e aumentar meu aprendizado naquela situação, em determinado ponto da palestra, perguntei: "Vocês se lembram daquela cena do filme *E.T.*, em que eles voam com as bicicletas?". E, então, tive de ouvir com muita humildade a lição que jamais esqueci: "Professor, a gente é cego, a gente não viu a cena". Essa fala muito me ajudou em outras tantas ocasiões em que convivi com cegos em palestras.

Para completar, fiz uma bobagem pedagógica absolutamente preconceituosa. Eu disse: "Oh, me desculpe". Aí um deles falou, de maneira bem-humorada: "Professor, não peça desculpa, explique a cena, descreva-a. Somos cegos, mas não somos tontos... Nós só não enxergamos com os olhos, mas somos capazes de raciocinar e de imaginar".

Pode até parecer um lapso, mas aquela frase me perturbou profundamente, porque passou uma ideia de diminuição da capacidade do outro. Não foi um: "Ops, desculpe, pisei no seu pé". Foi um: "Desculpe, você não é capaz, e eu pedi uma coisa que você não conseguiria realizar". E a resposta deles equivalia a dizer: "Eu consigo, apenas não faça desse jeito", ou ainda: "Sou capaz, só não faço do seu jeito".

Desde então, não digo mais "pessoas que não enxergam". Eu passei a falar "pessoas que não enxergam com os olhos". Porque é claro que enxergam, mas de outra maneira. Também não digo: "Olhe aqui na minha mão", pois aquele que não pode olhar com os olhos fica excluído. Se eu acrescentar o "se você puder", ele é acolhido como alguém que não participa do mesmo modo, porém não é apartado, não é descartado.

- O mesmo princípio se aplica ao tratamento de gênero. Passou a ser mais frequente a designação de cargos como "a presidenta", ou a colocação do artigo conforme a preferência da pessoa em questão. Há quem, mesmo se designando não binário, prefira o tratamento no feminino. Por que não acatar?

É respeito básico por outro ser humano. Quando encontramos pessoas trans ou que não tenham declarado sua identidade de gênero, o hábito deve ser perguntar como preferem ser chamadas, para respeitarmos sua vivência.

Evidentemente, essa é uma questão que ainda está sendo absorvida pela sociedade. Ainda não tivemos ajustes completos em relação ao vocativo das pessoas, nem ao uso pronominal, nem à linguagem que seja assimilável e, ao mesmo tempo, respeitosa. Esse movimento é muito novo e a tendência é irmos afinando gradativamente. Durante séculos, alguns idiomas, como o português, tiveram sua linguagem estruturada em cima do masculino. Esse refinamento, portanto, não se dá de maneira imediata.

Em 1989, quando Luiza Erundina (nascida em 1934) venceu as eleições para a prefeitura de São Paulo, por ser a primeira mulher a ocupar o cargo, solicitou que as placas referentes à sede do governo municipal que indicavam "Gabinete do prefeito" fossem alteradas para "Gabinete da prefeita". Isso não é um preciosismo, é uma precisão. Ela era uma prefeita.

Naquela época, essa ideia poderia soar como bobagem, detalhe ou maneirismo tolo. Mas não o era. Porque tem a ver com identidade. Assim como em 2011, Dilma Rousseff (nascida em 1947), quando assumiu a presidência da República, preferia ser chamada de "presidenta".

O combate ao preconceito vai sendo trabalhado nas suas várias formas. Nós tentamos a linguagem neutra, que apresenta dificuldades de compreensão em alguns idiomas. E temos de lidar com isso.

É possível tomar medidas na fala como o uso de "todas e todos", "senhoras e senhores", mas isso excluiria pessoas não binárias. De maneira geral, procuro utilizar a palavra "pessoas". Nem sempre isso se encaixa, e em algum momento pode haver alguma imprecisão.

Há a tentativa, por exemplo, do uso de "todes". Situações assim não podem ser entendidas como armadilhas, mas como depurações e aperfeiçoamentos na busca por um modo de comunicação que seja inclusivo.

Eu, Cortella, na condição de alguém que escreve, que fala, que se relaciona, tenho a intenção de ser inclusivo. Para isso, eu preciso abrir a cabeça e aprender com quem se ressente do outro lado. Esse movimento empático me auxilia a não ser fincado na minha exclusiva maneira de dizer as coisas.

Cabe lembrar a passagem bíblica em que Moisés, no deserto, encontra a fonte da vida. Uma sarça ardente, um arbusto que queima e não desaparece, e se comunica com a divindade. Ele pergunta: "Mas o que é você?". E a divindade responde: "Eu sou o que sou". Isto é, "eu sou inominável", o que significa que a própria divindade escolheu como ser chamada. Então não há necessidade de recusa de fazer isso com qualquer outra pessoa.

A linguagem acompanha os movimentos que acontecem na sociedade. Se nós atualizamos programas e aplicativos no nosso uso cotidiano, por que não podemos atualizar nossos modos de relação, de convivência?

Isso já aconteceu com vários modos de tratamento. Nós partimos de "vossa mercê", depois seguimos para "vosmecê", daí para "você", e, mais recentemente, a "vc", na forma escrita. Também passamos a tomar mais cuidado com tratamentos que denotavam alguma ideia de autoridade ou de supremacia do falante, como "ô fulaninho", dirigidos a um prestador de serviço.

Trata-se de um processo. Podem acontecer exageros ao longo dele? Claro, porque estamos num aprendizado. Há momentos de extremos, em que alguém pode dizer "Isso é bobagem" ou "O único caminho é esse". É um aprendizado que exige humildade e cabeça aberta.

Algumas pessoas preferiam ser chamadas de "deficientes visuais" em vez de "cegas". Depois o termo "cego" voltou a ser usado. Já aconteceu comigo de uma pessoa me dizer "Você é deficiente auditivo, eu sou surdo", em referência a uma redução da capacidade de ouvir.

Linguagem é comunicação, e a comunicação é arbitrária. A principal cautela é não ser ofensivo. A etimologia é esclarecedora de algumas expressões que podem ser danosas e que devem ser evitadas. Há controvérsias, por exemplo, sobre a origem da palavra "mulato". Há versões que evocam uma origem de caráter ofensivo. Outras não. Independentemente da origem etimologicamente correta, acaba sendo indiferente. Na prática, o critério que adoto é: "O que me custa ser gentil?". Se um termo pode ser interpretado como ofensivo e machucar alguém, por que usá-lo?

É comum eu estar em um aeroporto e alguém falar: "Oi, Portela!". Eu não corrijo, porque o que eu preciso é valorizar o gesto, o aceno, o carinho. Não vejo necessidade de fazer a pessoa se sentir constrangida ao corrigir: "Não é Portela, é Cortella". Ela está fazendo um gesto para criar uma conexão afetiva. O que me custa aceitar esse tratamento?

Do mesmo modo, por que não tratar a pessoa pelo pronome desejado? É uma preferência que a pessoa tem dentro da sua autoidentidade, da sua autodesignação.

A sociedade vai desenvolvendo, assim, mecanismos que trazem mais acolhimento e capacidade inclusiva.

Vale lembrar que a prevenção ao preconceito não é algo que se restringe só ao nosso redor, é uma questão que flui tanto para dentro quanto para fora de nosso círculo. Mesmo que a pessoa não seja vitimada diretamente por alguma forma de preconceito, ela pode ter parentes, amigos e outras pessoas em seu meio vulneráveis a sofrer com atitudes de discriminação ou segregação.

Essa é uma perspectiva que todos devem ter para ajudar na própria percepção do alcance do trabalho que desempenham na sociedade no combate ao preconceito. Consequentemente, há a irradiação da consciência em relação à recusa do preconceito para as demais esferas da vida coletiva.

PEQUEÑOS
DELITOS,
GRANDES ESTRAGOS

O CORPO DE BOMBEIROS TEM UM ENSINAMENTO que pode nos ajudar muito no dia a dia: "Nenhum incêndio começa grande". De fato, todo incêndio de grandes proporções tem início com uma faísca, uma fagulha. E isso também se aplica ao campo da ética, no que se refere à nossa capacidade de preservação da vida coletiva. Em situações de convívio na família ou na escola, por exemplo, o descuido com a integridade, com a dignidade, pode repercutir para o resto da vida de uma criança ou de um adolescente.

Muitas vezes, o declínio ético, a ruptura moral, emerge a partir de pequenos atos. As grandes patifarias se estabelecem pouco a pouco, quando aceitamos gestos de delinquência de proporções aparentemente diminutas. Entretanto, é a soma das pequenas infrações no cotidiano que produz um vazamento de grandes proporções em nossa compostura ética. Isso vale especialmente para a formação de pessoas, para a convivência, para a vida. Qualquer ato prejudicial não refreado pode gerar transtornos significativos. Cabe a nós ficarmos atentos para que assédios triviais não se tornem vitais.

Se não houver um refreamento, uma prática danosa tende a se proliferar. A não reação ou a própria impunidade em relação ao ato maléfico propicia um movimento crescente, porque gera aumento de poder de natureza psicológica, na consciência de quem pratica (que se supõe mais poderoso), ou efetiva, na medida em que a pessoa humilhada se torna refém daquele que a oprime. Por isso, a principal intenção é que a gente consiga repensar, bloquear, impedir esses movimentos que são triviais no ponto de partida, porém catastróficos no ponto de chegada.

Aqui se inclui o fenômeno do bullying, tão discutido, deflagrado e difundido nos últimos anos. Há pessoas que dizem: "No meu tempo, ninguém falava em bullying". De fato, o termo não era propalado no ambiente escolar, mas o fenômeno sempre existiu. Ganhou esse nome e entrou na pauta das discussões, em grande medida, também porque as questões éticas estão mais avivadas no nosso dia a dia.

Esse cuidado reforça a percepção de que é necessária a prevenção para evitar a remediação. Na realidade, os dois polos — prevenir e remediar — são necessários. Mas a prevenção é mais eficaz porque bloqueia aquilo que é maléfico no seu ponto de origem e, desse modo, impede que um pequeno córrego se transforme em uma inundação.

Apelidos vexatórios, fofocas, piadas de mau gosto, atitudes agressivas e zombarias são exemplos de assédios triviais, aqueles que imaginaríamos de menor proporção, mas que, à medida que se avolumam, atingem a vida da pessoa de uma maneira mais intensa e direta. Nesse ponto, os assédios triviais transformam-se em assédios vitais. A distinção entre um e outro é a intensidade. Também pesa o fato de ser algo que atinge a vida em seu conjunto e, dessa maneira, adentra o território do biocídio. O bullying é um exemplo dessa clara intenção de depreciar a outra pessoa.

A palavra "biocídio" indica o aniquilamento da vida em suas múltiplas manifestações. O biocídio faz vítimas de várias maneiras no dia a dia, seja no assassinato das pessoas, seja na depreciação do meio ambiente, colocando em risco de extinção várias espécies de seres vivos, seja na conivência destrutiva em espaços coletivos, como empresas, escolas e famílias.

Logo, o biocídio é muito mais comum e camuflado do que podemos imaginar. E existe o biocídio também pela violência simbólica, expressa sobretudo pelo preconceito, quando a pessoa se sente depreciada, apequenada, humilhada, excluída.

O biocídio é o desprezo ao outro, a sensação de que a pessoa é menos, a tentativa de aniquilar a vibração de vida nela, transformando-a em menos vida, uma vida que seja inferior, em termos de dignidade, capacidade, validade.

O biocídio pode se originar inconscientemente por parte de quem o pratica. Nem sempre existe uma má intenção na origem, porém há um mau resultado, porque é uma prática de convicção em relação à menor validade de outra pessoa. E nisso, independentemente de haver ou não intenção, o efeito é o mesmo. É claro que existe o praticante que age de maneira consciente, que se satisfaz, que supõe obter o aumento do seu próprio valor quando diminui outra pessoa.

O biocídio pode ser sutil, realizado pela força do hábito e pela falta de reflexão. Por exemplo, alunos da educação infantil, ao voltar do intervalo, ouvem do professor ou professora a seguinte frase: "Formem duas filas". Até aí, tudo bem, a função da fila é justamente ajudar a organizar as pessoas num determinado espaço. Logo em seguida, muda a lógica: "Meninos de um lado, meninas do outro". Ora, a função de uma fila não é separar por algum gênero. A função de uma fila é organizar. Nem nos bancos nem nos supermercados existem "caixa para homem" e "caixa para mulher" e todas as outras variáveis. Onde tem fila separada por gênero? Escola, penitenciária e hospício, que são três instituições de normatização social.

Outro fenômeno que acontece com a fila: por que, em sã consciência, um professor ou uma professora organiza uma fila por altura? Qual é a lógica? Para criar o baixinho? Porque a ideia de baixo ou alto é uma questão de referência. "Ah, mas qual seria o outro critério?" Organizar por ordem alfabética, por exemplo. Começar com A, B e C; no dia seguinte, por B, C e D, e daí por diante, até chegar no A novamente. É preciso criar alternativas para impedir a discriminação, a ideia de que uns valem mais por causa da altura que têm, pela calça que usam, pelo tênis que calçam. É necessário ficar alerta a um conjunto de perspectivas no qual a lógica é criar diferenciações para a exclusão.

Esses exemplos da fila separada por gênero ou pela altura dizem respeito a uma situação trivial, mas de alcance vital, sobretudo se considerarmos o número de pessoas que, por causa da altura, da cor da pele, de características fisionômicas, não coincidem com o poder hegemônico.

Outro exemplo é o material didático que, de maneira geral, é muito uniforme em relação à identidade daqueles que o ilustram, portanto a própria ilustração precisa ser feita com cautela para não induzir a esse tipo de conformidade. O material didático deve levar em conta a diversidade, seja étnica, seja de compleições físicas, de modo a enfatizar a riqueza existente nas várias formas de ser humano.

São situações às quais devemos estar atentos e que precisamos ir retirando do circuito sempre que se perceber uma ameaça à dignidade humana. Assim como impedir o uso de apelidos que não sejam carinhosos, de brincadeiras que produzam constrangimento, de atitudes deliberadas com o propósito de degradar a vida.

Muitas vezes, as manifestações do biocídio nem sequer causam estranhamento. Por exemplo, há muitos anos, uma poderosa multinacional fez uma peça publicitária com a seguinte lógica: "Use o curativo X, porque é da cor da pele". Em uma sociedade multiétnica, pergunta-se: cor da pele de quem? O mesmo se dá em meias anunciadas como sendo "da cor da pele". Ora, em uma sociedade que preze pela dignidade coletiva, haverá curativos e meias "cor da pele" de tantas cores quantas forem as cores das peles das pessoas que nela vivem.

O fenômeno também aparece estampado em embalagens de xampu, que indicam produtos para "cabelos secos", para "cabelos oleosos" e para "cabelos normais". Do ponto de vista científico, o que é um "cabelo normal"? É o que não é seco como o de muitas pessoas negras? Nem oleoso como o de uma parte dos indígenas e asiáticos? É o cabelo dos europeus? Claro que não. Esse tipo de classificação só acontece pela suposição de que existem os humanos que são "normais", que têm a pele da cor "normal", o olho do jeito "normal".

E, durante décadas, as pessoas ouvem falar de curativo "cor da pele" ou de "xampu para cabelos normais" sem notar que estão diante de um óbvio tão irrefletido que nem sequer chega a ser considerado um preconceito. Porém são, sim, expressões de biocídios, das pequenas mortes da nossa humanidade. E aqui uso o termo "humanidade" em sentido duplicado, como a nossa maneira de existir nesta vida e como a nossa dignidade ética coletiva.

Há uma desumanização quando praticamos essas mortes cotidianas ou compactuamos com elas!

Retomemos o exemplo do bullying. Ele pode se manifestar de várias maneiras, por exemplo, com apelidos ofensivos, humilhação, piadas, constrangimento, mas é sempre uma prática violenta que visa à exclusão da vítima. O bullying é, em grande medida, uma forma de autoafirmação. Só que autoafirmação para quem é fraco. A intenção é depreciar o valor daquele que é ofendido, colocá-lo num patamar inferior.

Uma palavra antiga que pode definir bem essa atitude é "pusilânime", que na origem latina significa "fraco", "covarde". Em parte, o preconceito daquele que deprecia outra pessoa, tentando afirmar que ela não é igual, além de demonstrar fragilidade mental do depreciador, evidencia pusilanimidade, isto é, fraqueza. Porque **o agressor é alguém que só se sente capaz de crescer**

se rebaixar alguém, e a pessoa que só se eleva quando rebaixa o outro é pusilânime.

Convém sempre lembrarmos do alerta feito pelos antigos com uma frase terrível e verdadeira: "O peixe apodrece pela cabeça". Nós não podemos admitir o apodrecimento da cabeça, e isso acontece quando achamos que as coisas são como são e não há outra maneira de elas serem.

Nem sempre é fácil a percepção do que o bullying está significando em termos de preconceito ou mesmo qual é a fronteira que o separa da brincadeira. Mas o que caracteriza uma brincadeira é que todos os que dela participam gostam de estar inseridos naquela situação, seja no truco, no futebol, na queimada, no passa-anel. No jogo do mico, se o mico ficar comigo, vão rir de mim, bater nas minhas costas. Isso não é bullying, é o espírito do jogo. O princípio básico é que todos se divirtam, mesmo quem perde, porque perder faz parte do jogo. Chamar alguém de macaco se estamos jogando mico – e qualquer um de nós poderá sê-lo se pegar a carta – é muito diferente de utilizar a palavra "macaco" para dizer "Você é um semi-humano", um menos humano ou um pré-hominídeo.

O bullying não é um jogo, é uma maneira covarde de exaltar-se diminuindo outra pessoa. Por isso existe uma fronteira. Na brincadeira, todos se alegram, e até quem perde quer voltar a jogar, ao passo que, no bullying, quem é vitimado não deseja mais conviver com aquele grupo.

Não se pode supor que o bullying seja apenas uma forma de preconceito. Ele é o preconceito em um nível elevado de ofensa e agressão, pois tem como intenção excluir a pessoa.

Nem sequer é tolerância passiva, mas sim a tentativa de arrancar o outro do convívio por considerá-lo diferente, até mesmo quando a diferença se dá por uma virtude. O aluno que se destaca pelas boas notas pode ser alvo de assédios vitais. Pela lógica do agressor, quem está acima precisa descer do nível em que se encontra. Para isso, é preciso arranjar alguma maneira de inferiorizá-lo: porque usa óculos ou porque o cabelo é despenteado ou porque a professora o chama com frequência...

E um dos mecanismos perversos do bullying é que ele acaba conquistando a adesão dos demais. Quem engrossa o coro das ofensas se move pela ideia de que, na existência de outro alvo preferencial e mais exposto, ele mesmo passa despercebido e, portanto, corre menos risco de ser atingido. É também uma maneira de delimitar um espaço: "Eu pertenço ao grupo do poder, e não ao cordão dos excluídos". É o famoso "nós e eles", que está presente nas mais variadas demonstrações de fanatismo.

Aliás, o conceito de "fanático" está ligado a algumas religiões, inclusive etimologicamente, porque em latim *fanum* é também templo e, portanto, fanático é alguém exclusivamente ligado a esse lugar.

A intolerância em si já carrega uma marca de dano muito forte, porque representa uma fratura ética em relação à convivência humana. Ao adentrar no terreno da religião, a intolerância adensa o lado malévolo dessa percepção.

Mais do que seus sistemas de crença dentro da teologia, as religiões em geral têm seus sistemas éticos. A intolerância religiosa fica mais estranha quando se supõe – o que não é correto o tempo todo – que as religiões de maneira geral queiram o bem da humanidade. Não necessariamente. Há religiões que admitem a possibilidade de descartar aqueles que não aderem a ela. E, se é contra, precisa ser enfrentado. Isso se dá por meio da exclusão, o que historicamente significou extinção ou preconceito, ofensa e humilhação.

Quando o preconceito religioso é marcado mais pela ideia de que quem não tem a mesma crença é infiel do que pela noção de que seria um diferente, a percepção original da palavra "fanático" vem à tona.

Nem sempre e nem todas as religiões são fraternas. A ideia da religião como a marca da união de pessoas, a partir da amorosidade como fonte da vida, teria de ser muito mais inclusiva do que segregadora. Afinal, uma parte das igrejas usa o termo "congregação" como autorreferência. Mas cabe lembrar que uma parcela das religiões trabalha com a ideia de escolhidos, de eleitos. Por essa lógica, os indivíduos sem essa condição terão a danação como consequência.

Se há a ideia de que existe uma fonte amorosa da vida, que é a base para a concepção religiosa, e que pode se mostrar e ser reverenciada de modos diversos, haverá a diversidade no ponto de partida. Mas, a partir do entendimento de que essa fonte tem uma exclusividade, tem um privilégio, tem a sua epifania, quando recusada, é porque quem a recusa é contrário a ela. E, assim sendo, entendem alguns, deve ser deixado de lado ou extinto, o que auxilia o fratricídio.

Em vários momentos, há a ausência da diversidade religiosa em estruturas autoritárias. Ou as ditaduras são ateias ou voltadas a uma exclusiva prática religiosa. Não que uma ditadura seja contra uma religião; ela é contra uma outra organização, e uma religião é uma forma organizada de convivência, de congregação, de autoridade, de ritos. Nas ditaduras, de modo geral, a objeção não é à religião, mas à organização, por se tratar de uma estrutura concomitante de poder.

É estranho haver o preconceito religioso? Seria totalmente estranho se todas as religiões tivessem o mesmo fundamento. E ainda que se admita que o fundamento seja a existência de uma fonte da vida, amorosa e divina, a maneira de acessar essa fonte, de se relacionar com ela, e o entendimento das prescrições e determinações que essa fonte coloca não são idênticos.

Idealmente, haveria um desejo de harmonia entre as religiões, afinal, estamos todos sob o mesmo teto. A noção ecumênica tem a intenção de recusar qualquer tipo de estilhaçamento da convivência, em nome de divergências religiosas. Mas essas divergências são muito sérias.

Por que religião costuma gerar confronto? Porque parte da base de sustentação daquilo que faço, daquilo em que acredito e do motivo por que sigo adiante sem entrar em desespero está nas convicções religiosas que se tenha ou não se tenha; daí que, quando discordo ou divirjo de alguém no campo religioso, há grande risco de a outra parte assumir como ofensa pessoal.

O imprescindível filósofo Sócrates (c. 469 a.C.-399 a.C.), condenado à morte a partir de uma acusação por três crimes (não acreditar nos deuses oficiais, aproximar-se de deuses malignos e corromper os jovens com suas ideias), nos ajuda nesse ponto por ter dito: **"Só sei que nada sei"**.

Essa frase várias vezes foi mal interpretada por ser entendida como expressão de ignorância. O pensador grego não era tonto e nem tinha falsa humildade. Ele não estava dizendo que nada sabia, inclusive porque seria dizer que quem elogiava a sua sabedoria seria um tolo. A frase dele era no sentido de "só sei que nada sei por completo", "só sei que nada sei por inteiro", "só sei que nada sei que só eu saiba", "só sei que nada sei que o outro não saiba". Em outras palavras: "Eu sei que eu não sou a única forma legítima de ser humano, existem outras formas".

Já o fanático e, portanto, aquele que carrega o preconceito, que manifesta a violência física, a violência moral e simbólica, não dá legitimidade à vida alheia, isto é, deprecia o valor da vida humana. É, repito, fraco de espírito.

Por muito tempo ouvi uma frase – cuja autoria é controversa, podendo até ser da sabedoria popular – que diz: **"Uma pessoa só deve olhar outra pessoa de cima para baixo quando for para ajudá-la a se levantar"**.

O FUTURO E A DIVERSIDADE

O TEMA DO PRECONCEITO LEVANTA VÁRIAS questões inquietantes, que podem assolar até mesmo pessoas atentas e empenhadas em não cometer biocídios cotidianos.

Por isso nossa insistência em ficarmos alertas, pois somos presas fáceis do ato falho herdado de mudanças conceituais sobre pré-conceitualizar e podemos ser agentes perpetuadores de atitudes humilhantes e preconceituosas quase invisíveis. Quase.

Por exemplo: "Se eu não aceitar o outro como ele é, significa que sou preconceituoso?".

Esse é um terreno complexo, que merece uma reflexão para nos ajudar a esclarecer a questão:

conforme já abordamos, compreender é aquilo que antecede acatar ou rejeitar. Compreender é diferente de aceitar. O preconceito emerge quando se aceita ou rejeita algo sem antes o ter compreendido. Não há preconceito apenas porque eu rejeito alguém. Porque se qualquer discordância for preconceito, aí tudo vale. E, nessa condição, a vida coletiva harmoniosa fica impossível, e a paz não encontrará lugar.

Não é a discordância que caracteriza o preconceito. O que torna algo preconceituoso é a concordância ou discordância sem uma compreensão refletida, sem processo crítico de purificação das ideias, sem uma avaliação em que os prós e contras sejam colocados na balança.

Todos precisamos levar em conta que, ao estabelecer um processo de demolição das ocasiões preconceituosas, o diálogo não é a concordância *a priori*. É a disposição para concordar ou discordar respeitosamente.

Dialogar não é concordar; dialogar é respeitar, ficar atento à posição do outro e defender a própria posição.

O diálogo pode gerar conflito? Sim, mas o conflito não é necessariamente negativo, nem uma ameaça à paz. Aliás, a vida em paz não é a da paz dos cemitérios.

Paz é onde não há confronto, mas se admite o conflito. Conflito é divergir de posturas ou de ideias. Confronto é a tentativa de anular outra pessoa.

Durante muito tempo, nós vivemos em uma sociedade na qual o conflito – na família, na escola, na rua – fez parte do nosso dia a dia. Pouco a pouco, em várias instâncias sociais, inclusive na escola, fomos substituindo a noção de conflito pela quase glorificação do confronto. Nessa hora, sim, nós perdemos a paz.

O conflito se estabelece a partir da tentativa de se afirmar, sem negar o outro. Aquilo que nega o outro é confronto. A violência é a admissão do confronto, não é a aceitação do conflito. Isso vale na família, no trabalho, na empresa, na escola.

As pessoas têm todo o direito de expressar seus pontos de vista. Mas é preciso manter a perspectiva de que não existe liberdade individual, no sentido de que "só eu tenho" e as outras pessoas "têm ao seu modo". A liberdade não opera na lógica de que "cada pessoa tem a sua e faz o que quer". A ideia de liberdade é sempre na perspectiva de uma harmonização coletiva.

A ideia de liberdade não é uma percepção irrestrita de que faço aquilo que queira fazer, independentemente de os outros existirem. Liberdade é sempre em um contexto.

Por exemplo: eu vivo em um edifício em São Paulo, um condomínio, o que significa "vida junto". Cada apartamento é chamado de "unidade autônoma", e não de "unidade soberana". Isto é, eu posso fazer o que eu quiser dentro da minha casa, mas preciso considerar que há um conjunto de regras em vigor. Existe uma convenção, resultante da nossa junção e do acerto sobre como decidimos conviver. Cada pessoa, portanto, deve exercer a sua liberdade dentro do conjunto das regras. Por isso, eu não posso fazer ruído excessivo após as 22 horas. Eu não posso estocar produtos que coloquem em risco a vida de outras pessoas. Eu não posso ter comércio dentro da minha unidade. Não posso reter comigo objetos e equipamentos que são da área comum, assim como não posso deixar coisas minhas nesse espaço. "Ah, mas eu sou livre." Livre, dentro do que coletivamente, na minha comunidade de vida, foi acertado.

Quando vivemos numa comunidade em que se deseja igualdade de direitos e deveres, essa condição não coloca o constrangimento à liberdade, mas estabelece a existência de limites e fronteiras.

Uma liberdade absolutamente irrestrita só seria possível na hipótese de haver somente um ser humano. Na existência de dois, é preciso que o par seja capaz de fazer o acerto sobre o que é e o que não é admissível na convivência.

O conceito de liberdade só faz sentido porque vivemos com outras pessoas. Se eu vivesse numa ilha deserta, não haveria nenhum tipo de obstáculo.

Costumo lembrar que democracia não é ausência de regras, é ausência de opressão. Nem a percepção anarquista do século XIX era marcada pela inexistência de regras. Havia a construção conjunta de normas, de modo que se pudesse respeitar a vida, a liberdade da outra pessoa. Ausência de regras é o caos. Uma sociedade sem regra alguma impediria a liberdade, porque implantaria o estado do poder do mais forte, como o retratado no livro *Leviatã*, do filósofo inglês Thomas Hobbes (1588-1679).

O fato de eu ser livre não significa que tenha autorização para fazer qualquer coisa. O filósofo e sociólogo alemão Erich Fromm (1900-1980) alertava que **"liberdade não significa licença"**. Portanto, eu sou livre para qualquer coisa que estiver dentro do escopo coletivo, do que se pode e do que não se pode fazer. Se não houvesse restrição, a ética deixaria de existir.

Esse argumento vale para situações em que se usa o termo "liberdade de expressão" para infligir ofensas e agressões a outras pessoas. Não podemos dissimular essa forma de agressão nas nossas normas de vivência. Como já mencionado, democracia é a construção coletiva das regras de convivência. E, nessa construção, há um veto claro a determinadas posições que expressem, por exemplo, apoio ou simpatia ao nazismo, ao racismo, ao machismo, ao sexismo, ao etarismo e a toda e qualquer forma de violência contra seres humanos nas suas mais variadas condições de existência.

Situações dessa natureza não estão asseguradas por liberdade de expressão. Não se trata de mera questão de opinião. Afinal, opinião quando é crime não é opinião, é crime.

Nesse sentido, a liberdade de expressão não está no campo da soberania, em que cada um diz o que desejar, independentemente das consequências. Quando há um obstáculo coletivo, uma lei maior, uma constituição que veda essa condição não entra no campo da liberdade.

Nessa hora, não dá para ser frágil, tíbio e imaginar: "Ele só estava dizendo o que pensava...". Não, porque, quando as falas incentivam crimes, não são aceitáveis. Daí não é liberdade, é prática delituosa.

Existem ideias para as quais não cabe nenhum tipo de relativização. Não basta, por exemplo, não ser racista, é preciso ser antirracista. Assim como nazismo é crime, é preciso ser antinazista. Do mesmo modo que ninguém pode sair pregando o feminicídio, a escravização de pessoas, o extermínio de opositores políticos.

Há um alerta clássico feito pelo filósofo austro-britânico Karl Popper (1902-1994), no livro *A sociedade aberta e seus inimigos*, de 1945, indicando que é preciso ser intolerante com os intolerantes, ou, como escreveu ele: **"Devemos, então, nos reservar, em nome da tolerância, o direito de não tolerar o intolerante"**.

Por quê? Porque os intolerantes se aproveitam do fato de que a tolerância é uma regra de convívio para destruir a própria tolerância, por intermédio das ideias que querem implantar. Nesse sentido, não dá para imaginar que se possa ser leviano, hesitante ou frouxo em relação aos intolerantes.

A intolerância é intolerável e precisa ser recusada quando se quer viver em uma verdadeira comunidade, com harmonia, divergência criativa e consensos progressivos.

Quando pessoas se juntam, podemos ter resultados de duas naturezas: uma **comunidade** ou um **agrupamento**. Em uma comunidade há pessoas juntas, com objetivos compartilhados, mecanismos de autoproteção e de preservação recíproca. Em um agrupamento há pessoas com objetivos apenas coincidentes, sem mecanismos de autoproteção e de preservação recíproca.

Por exemplo: uma família ou uma cidade têm de ser uma comunidade. E em uma comunidade existe conflito. No agrupamento existe confronto. O conflito faz crescer, se dá na diversidade. O confronto é assumir a diversidade como desigualdade. O confronto é anular o outro por não o considerar um igual.

O preconceito é também uma forma de intolerância, porque a palavra "tolerar" significa admitir. Quem trabalha bem a ideia de tolerância é Leonardo Boff, em especial no segundo dos três volumes da coleção "Virtudes para um outro mundo possível", chamado *Convivência, respeito e tolerância*, que faz uma diferenciação entre tolerância ativa e passiva.

Resumidamente, a tolerância passiva seria aquela em que um indivíduo não se indispõe contra a existência daquele que é diferente, mas também não a valoriza. É como se o discurso fosse: "Ok, somos diferentes, mas eu é que sou bom", "Não vou para o confronto, mas também não o coloco como um igual".

Já a tolerância ativa procura capturar na outra pessoa pontos para o estabelecimento de pontes. Isto é, de características que mostrem o olhar do outro como outro, tendo nele uma fonte de admiração, de aprendizado e de reconhecimento. E a palavra "reconhecer" é muito forte, porque um dos aspectos principais na percepção da tolerância é quando um ser humano se reconhece no outro.

Embora Leonardo Boff trabalhe bem essa ideia, não utilizarei a noção de tolerância, até pelo fato de ela ter origem na Europa no século XVII, quando as guerras religiosas começaram a atrapalhar os negócios. Com a Revolução Industrial em curso na sua primeira fase no mundo britânico, depois se espalhando pelo restante do continente, os confrontos entre cristãos trouxeram distúrbios para o andamento da economia. Em reação a esse quadro, o conceito de tolerância passou a ser mais intensamente difundido. Para algumas pessoas, como um valor moral positivo; para outras, como uma maneira de estancar os confrontos para não prejudicar os negócios.

Nessa mesma época, o pensador inglês John Locke (1632-1704) produziu o clássico texto "Carta acerca da tolerância", que contrapõe o pensamento liberal na filosofia ao direito divino. Locke traz uma reflexão sobre a importância da convivência pacífica, que tem como um de seus motes que cada um (e aí entra o liberalismo) deve procurar os próprios interesses. Nessa percepção de tolerância, há um risco de se trabalhar com a ideia de que a regra é "cada um por si e Deus por todos".

Por isso, em vez de tolerância — embora entenda a perspectiva pela qual Leonardo Boff utiliza tão bem essa expressão, pois está retomando o conceito histórico —, optarei pelo termo "acolhimento". Quando eu "tolero" você, eu até admito que você exista, quase que dizendo: "Você está autorizado a ser como é, mas eu não o valorizo". Enquanto acolher significa: "Eu recebo você em mim como um igual".

Dessa forma, o acolhimento é a anulação da possibilidade de preconceito, na medida em que entendo que a diferença é uma riqueza, um benefício, e não um malefício. E, se olho a diferença como um benefício, e a diferença não está em mim, eu me reconheço.

Mais uma vez: a noção de tolerância não pode se acomodar na ideia de "cada um por si e Deus por todos". Remarquemos: é preferível o acolhimento do "um por todos e todos por um". Embora tenha um conteúdo romântico, isso não pode ser denegado nem descartado, porque, ainda que não seja uma realidade, é um horizonte.

O preconceito corrói a possibilidade do "cada pessoa por todas e todas as pessoas por cada uma". Ou ele coloca a si mesmo na sombra em nome da tolerância, mas não eleva a outra pessoa, ou é explícito e assim pratica a ofensa, a discriminação, a violência física ou simbólica.

Por tudo isso, é preciso entender que **a diversidade é um patrimônio**! As grandes conquistas da nossa espécie se deram pela cooperação, não pela competição. Logo, é preciso achar alternativas que melhorem o nosso modo de convívio.

Quando se fala do homem primitivo (o pré--histórico ou o homem das cavernas), muitos o imaginam como um ser violento. É preciso lembrar, no entanto, que a nossa estruturação como espécie se deu em grande parte pela capacidade de cooperação entre os indivíduos. Nós não fomos animais que trouxeram a competição como modo de vida. Aliás, se não fôssemos animais cooperativos, nem sequer teríamos sobrevivido. As outras espécies, que são mais fortes e velozes, têm bem mais condições de sobrevivência do que nós.

Somos animais extremamente frágeis. Para termos força, precisamos viver juntos o tempo todo. Somos seres gregários. O radical *greg*, do indo-europeu, significa "rebanho". Temos de viver em rebanho, por isso, "congregamos". E, pelo mesmo motivo, precisamos ter cuidado para não "segregar". Há pessoas que, em vez de fortalecer os mecanismos de congregação, consideram mais fácil segregar – no ambiente familiar, social ou escolar.

"Temos um problema sério com alguém? Vamos segregá-lo. Se o congregarmos, teremos de lidar com ele e com o problema." Existem ambientes que desenvolvem a ideia de competitividade a qualquer custo, em vez de trabalhar a noção de cooperação, que foi o que garantiu a nossa existência.

Se o fato de ser gregária assegurou a sobrevivência de nossa espécie, o que confere riqueza à nossa condição é justamente a nossa diversidade. Se o segredo da vida é a biodiversidade, o segredo da vida humana é a antropodiversidade, a diversidade do humano.

É a diferença que traz a beleza. Uma paisagem idêntica é monótona. O deserto ganha beleza quando temos nuances e variações na areia. Nos polos, o gelo contínuo tem beleza em um primeiro momento, mas depois o cenário é de monotonia. A beleza brota da diversidade. Por isso gostamos de ramalhetes. E até quando oferecemos um buquê de rosas entremeamos as flores com folhas verdes para romper a monotonia cromática.

Na orquestra sinfônica, apreciamos a diferença de sons em harmonia. A metáfora musical ajuda bastante na nossa reflexão, porque o que é uma música senão a harmonia da diversidade? Sem a diversidade dos acordes e a diferença de andamentos, teríamos uma monotonia e um ruído em vez de música. Imagine o quanto nosso repertório de emoção estética seria reduzido se não fosse a diversidade.

A beleza da música está em concertar a diversidade. É claro que algumas formas musicais são monotônicas, mas elas cumprem outra finalidade. Algumas peças de música religiosa e alguns mantras visam a um estado de serenidade, de ausência de movimento.

Outro exemplo possível é o da escola de samba, que com suas cerca de 3 mil pessoas, cada qual com uma função, evolui dentro do mesmo ritmo, unida em torno de um mesmo propósito. Não é à toa que um dos quesitos avaliados é justamente a harmonia. Tudo aquilo que é atividade coletiva pode ser utilizado como exemplo de que a junção de diferenças pode tornar a vida mais interessante e enriquecida. Esportes coletivos também são analogias importantes para aumentar essa percepção.

E, também por analogia, podemos depreender que o preconceito desafina a harmonia e apodrece a capacidade de termos uma vida mais bela.

Nessa hora, **a ética se junta à estética**.

Por isso, o preconceito, além de tudo, é feio. Ele tira a beleza da diferença na convivência, deseduca nossa viável nobreza, não ornando com uma vida plena. A recusa à diversidade é feia!

Esta obra foi escrita com a intenção de reforçar que nós precisamos, em nosso dia a dia, reagir, recusar, afastar tudo aquilo que ameace a nossa condição de uma futura vida coletiva digna, alegre e feliz.

Muitos podem dizer: "Mas você ainda tem a ilusão de falar de felicidade num mundo como o de hoje? A vida é prática, é concreta, falar em felicidade é utopia". Ao que responderei: "Graças aos céus!". Uma das piores coisas que pode haver no nosso cotidiano é perdermos as nossas utopias.

Nós temos uma utopia: participar da construção de uma vida feliz para todo mundo. Vida que não rareia, que não diminui, que não é marcada pela carência. Vida boa é aquela em que temos esperança de construir, edificar, consolidar, crescer. Vida boa é aquela na qual consigamos afastar a falência das nossas utopias.

Paulo Freire não usava muito a palavra "utopia", preferia a expressão "inédito viável". É aquilo que ainda não é (e, por isso, é inédito), mas pode vir a ser (e, por isso, é viável).

Nós temos um inédito viável a pensar juntos também com a leitura desta obra, que é não permitir o apequenamento da vida, e sim cultivar uma sociedade pautada por uma vida de paz e pela recusa à violência de qualquer natureza, e que afaste a perspectiva de que estamos condenados a uma convivência que desertifica os nossos sonhos.

PA

PARA MIM, O ESTUPENDO ESCRITOR CARIOCA Machado de Assis (1839-1908), referência da literatura mundial, descendente de escravizados no Brasil, produziu na obra *Memórias póstumas de Brás Cubas* uma das ideias mais difíceis de lidar e considerar, porque é muito profunda e nos alerta e incomoda em relação à ética e a vários dos nossos esquecimentos (distraídos ou voluntários).

Recorro com frequência ao conteúdo dela para eu mesmo não fechar os olhos ao entorno ou dissimular harmonia provisória.

Escreveu Machado:

Creiam-me, o menos mau é recordar; ninguém se fie da felicidade presente; há nela uma gota da baba de Caim. Corrido o tempo e cessado o espasmo, então sim, então talvez se pode gozar deveras, porque entre uma e outra dessas duas ilusões, melhor é a que se gosta sem doer.

Ninguém se fie da felicidade presente. Isto é, ninguém se anime com a felicidade presente, ninguém confie na felicidade presente, porque nela há uma **"gota da baba de Caim"**.

Caim foi quem, simbolicamente, em uma das narrativas sobre a humanidade, praticou o primeiro fratricídio, com a baba do algoz respingando ainda (mas não para sempre!).

Todas as pessoas, com religião ou não, têm alguma memória da história presente no Gênesis, o primeiro livro da Escritura judaica (incorporado de modo diverso pelo cristianismo e pelo islamismo).

Inicia-se tratando da criação, fazendo um relato sobre o aparecimento de tudo e das duas primeiras pessoas, Adão e Eva. Nele se conta que ambos tiveram inicialmente dois filhos, Caim e Abel, entre os quais havia uma discrepância sobre qual deles era o mais amado pelo Criador, dúvida ciumenta mais marcante em Caim.

Corroído pelo ciúme, Caim assassina Abel e, conta o Gênesis, foge e se esconde; ao ser procurado pelo Criador, ouve a pergunta mais funda, a ser por nós bem ouvida ainda agora, e que ecoa pelos séculos: **"Onde está teu irmão?"**.

A resposta de Caim, presente no livro religioso, é a expressão máxima da indiferença, da ausência de empatia e de solidariedade: **"Não sei; sou eu guardador do meu irmão?"**.

Não sei; por acaso tenho de tomar conta de meu irmão? O que eu tenho com isso? Já não basta eu ter de cuidar da minha vida?

Quando alguém diz, como disse Caim, "Sei lá, por acaso serei alguém que tem que tomar conta?" — o irmão e a irmã entendidos aí não apenas como outras pessoas, mas acima de tudo outras formas de existência, outras formas de vida, o planeta, o ambiente, a comunidade —, a omissão pode se tornar cumplicidade aos vários modos de fratricídio.

O fratricídio não se dá apenas quando se assassina outra pessoa fisicamente; o fratricídio acontece quando se é intolerante com outra pessoa, quando se favorece a redução das condições de vida dela, quando se cala diante do sequestro dos direitos sociais que essa pessoa tem no seu dia a dia.

    O fratricídio assoma quando há recusa a procurar atender ao clamor de um **"Onde está tua irmã?", "Onde está teu irmão?"**.

    Para que a "baba de Caim" não persista nos salpicando é premente assimilarmos: temos de ser plurais, em uma fraternidade robusta, que se empenhe em afastar, educar e punir quem cometa alguns dos vários modos de fratricídio, e que proteja a decência.

LEIA TAMBÉM:

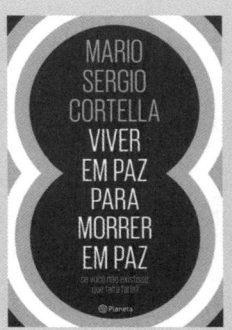

**Acreditamos
nos livros**

Este livro foi composto em TT Ramillas e impresso pela Gráfica Santa Marta para a Editora Planeta do Brasil em agosto de 2022.